LA VIE COMPLIQUÉE DE *Léa Olivier*

8·RIVALES

CATHERINE GIRARD-AUDET

Québec

Crédit d'impôt
livres   Gestion
                SODEC

Gouvernement du Québec – Programme de crédit d'impôt
pour l'édition de livres – Gestion Sodec

Nous reconnaissons l'aide financière du gouvernement du Canada par l'entremise du
Fonds du livre du Canada pour nos activités d'édition.

La vie compliquée de Léa Olivier, 8. Rivales
© Les éditions les Malins inc., Catherine Girard-Audet
info@lesmalins.ca

Directrice littéraire : Ingrid Remazeilles
Éditeur : Marc-André Audet
Illustration et conception de la couverture : Veronic Ly
Photographie de Catherine : Karine Patry
Mise en page : Marjolaine Pageau

Dépôt légal – Bibliothèque et Archives nationales du Québec, 2015
Dépôt légal – Bibliothèque et Archives Canada, 2015
2e réimpression, septembre 2017

ISBN : 978-2-89657-313-4

Imprimé au Canada

Les éditions les Malins inc.
Montréal (Québec)

Financé par le gouvernement du Canada | Canadä

LA VIE COMPLIQUÉE
DE *Léa Olivier*

8. RiVALES

CATHERINE GiRARD-AUDET

À Margaux, que j'ai portée dans mon ventre pendant l'écriture de ce huitième tome. Je suis tellement fière de la petite (grande) fille drôle, joyeuse, forte et autonome que tu es en train de devenir. Tu es ce qui m'est arrivé de plus merveilleux. Merci de me challenger tous les jours, de me transformer comme tu le fais et d'être une source d'inspiration infinie. Je t'aime !

Chapitre 1 :
Cœur de guimauve et fleur bleue

Dimanche 2 août

17 h 42

Léa (en ligne): Jeanne, t'es là?

17 h 42

Jeanne (en ligne): Salut! Comment ça va?

17 h 43

Léa (en ligne): Bien, mais je commençais à m'inquiéter! Ça fait genre une semaine que j'essaie de te joindre. T'étais passée où?

17 h 44

Jeanne (en ligne): Je m'excuse! C'était la folie au travail, et j'avais plein de trucs de famille. Toi, quoi de neuf? Es-tu chez Marilou?

17 h 45

Léa (en ligne): Oui. Je devais rentrer demain, mais Chantal a accepté d'échanger son horaire avec le mien pour que je puisse rester jusqu'à mardi matin. ☺

Jeanne (en ligne): Trop cool! Et comment va Marilou?

17 h 46

Léa (en ligne): Pas pire. Elle a aperçu son ex par hasard la semaine dernière et ça l'a un peu secouée, mais j'essaie de lui changer les idées.

17 h 46

Jeanne (en ligne): Tant mieux. Salue-la de ma part, et dis-lui que je sympathise avec elle.

17 h 46

Léa (en ligne): Je lui transmettrai le message dès qu'elle sortira de la douche.

17 h 47

Jeanne (en ligne): Et avec Olivier, ça va?

17 h 47

Léa (en ligne): Oui. Je n'ai pas pu le voir avant de partir, mais il est censé venir chez moi mercredi après le travail. Et toi, as-tu des nouvelles d'Alex?

17 h 48

Jeanne (en ligne): Je l'ai vu hier soir et il m'a raconté pour Marguerite. Elle a vraiment osé lui demander d'arrêter de te voir?! Elle est complètement folle!

17 h 48

Léa (en ligne): Je sais. D'un côté, je me sens mal d'avoir provoqué leur rupture, mais d'un autre, je suis contente de ne plus avoir à endurer ses crises de jalousie. Je t'avoue que je ne comprends toujours pas pourquoi elle a tellement capoté à propos de moi. J'ai un chum, après tout!

17 h 49

Jeanne (en ligne): Je sais. J'imagine que c'est ton amitié avec Alex qui l'a rendue parano.

17 h 49

Léa (en ligne): Alors je suis bien contente d'avoir une *crazy* nunuche de moins à endurer!

17 h 50

Jeanne (en ligne): Ha, ha! Je te comprends.

Léa (en ligne): Et as-tu des nouvelles de Katherine? Les dernières fois que je l'ai appelée, je l'ai sentie un peu bizarre et distante avec moi.

17 h 50

Jeanne (en ligne): Je pense que la campagne te fait délirer autant que Marguerite! Kath a juste été *full* occupée, elle aussi.

17 h 51

Léa (en ligne): Ah! Merci de me rassurer. Je suis un peu stressée en ce moment. Je pense que mes autres inquiétudes me montent au cerveau et affectent mon jugement!

17 h 51

Jeanne (en ligne): Qu'est-ce qui se passe? Veux-tu m'en parler?

17 h 55

Léa (en ligne): Ouais, mais j'aime mieux le faire de vive voix quand je serai à Montréal.

Jeanne (en ligne): OK. Mais en attendant, j'ai une bonne nouvelle pour toi. Maude a enlevé son image de couverture où tu apparaissais dans toute ta splendeur au Roi du Beigne pour mettre sa nouvelle photo de *casting*.

17 h 58

Léa (en ligne): C'est une mince consolation! Merci! ☺ Bon, je te laisse! Marilou m'attend et on doit aller souper chez son père.

17 h 58

Jeanne (en ligne): OK! Appelle-moi en rentrant. J'ai hâte de te voir!

17 h 58

Léa (en ligne): Moi aussi! xx

📱 03-08 20 h 09

Kath? Je me sens tout croche depuis hier. J'ai *chatté* avec Léa et elle m'a demandé ce qui se passait avec toi. Elle te sent froide.

📱 03-08 20 h 09

Oh! Tu ne lui as rien dit, j'espère?

📱 03-08 20 h 10

Non, mais j'*haïs* mentir à mes amies. Il va vraiment falloir que tu lui parles.

📱 03-08 20 h 10

Ouais... Parlant de ça, j'ai changé d'idée.

📱 03-08 20 h 11

Hein? Comment ça?

📱 03-08 20 h 11

Hier, j'ai parlé à Oli au téléphone, et il m'a dit qu'il avait avoué à Léa qu'il l'aimait.

📱 03-08 20 h 12

Aïe. Ça n'a pas dû être facile à entendre.

📱 03-08 20 h 12

Sur le coup, j'ai eu l'impression de me faire massacrer le cœur par une moissonneuse-batteuse, mais après ça, je me suis étrangement sentie libérée. Si Oli est amoureux de Léa, je ne peux rien y faire. Je ne veux pas risquer de perdre mon amitié avec elle alors que je n'ai rien à gagner. Je dois faire mon deuil, un point c'est tout.

📱 03-08 20 h 13

Tu penses que tu peux y arriver sans en glisser un mot à Léa?

📱 03-08 20 h 13

Je vais essayer. De toute façon, je ne vois pas ce que mes aveux changeraient à la situation, à part créer un gros malaise. Bref, je préfère qu'il n'y ait que moi qui souffre un peu dans tout ça.

📱 03-08 20 h 14

C'est tout à ton honneur, Kath, mais je veux que tu me promettes de m'en parler si jamais t'es sur le point d'exploser.

📱 **03-08 20 h 14**

Deal! Merci, Jeanne. Je ne sais pas ce que je ferais sans toi. Je te promets d'appeler Léa cette semaine pour qu'elle sache que tout va bien et que je ne suis pas fâchée contre elle.

📱 **03-08 20 h 15**

Est-ce que je peux te faire une dernière suggestion?

📱 **03-08 20 h 15**

Je t'écoute.

📱 **03-08 20 h 15**

Je sais que tu tiens beaucoup à Oli et que vous vous entendez *full* bien, mais je ne crois pas que ce soit super sain pour toi de te tenir avec lui en ce moment...

📱 **03-08 20 h 16**

Tu as peut-être raison, mais je ne veux pas le perdre, lui non plus.

📱 **03-08 20 h 16**

OK, mais promets-moi de prendre tes distances si jamais tu commences à déprimer.

📱 03-08 20 h 16

Promis, juré.

📱 03-08 20 h 17

Est-ce qu'il t'a dit comment elle avait réagi à sa déclaration d'amour ?

📱 03-08 20 h 17

Il paraît qu'elle a répondu avec un bonhomme sourire (c'était par SMS), mais sans plus. Je lui ai dit de ne pas s'inquiéter, car c'était sûrement parce qu'elle avait besoin d'y aller à son rythme.

📱 03-08 20 h 18

Très bon conseil.

📱 03-08 20 h 18

Penses-tu que Léa est amoureuse, toi ?

📱 03-08 20 h 18

Je ne sais pas. C'est peut-être juste une question de temps.

📱 **03-08 20 h 19**

Ouais, j'imagine. Bon, je te laisse. Merci, pour tout, Jeanne. On se voit cette semaine, OK?

📱 **03-08 20 h 20**

Bonne idée. Mais avec Léa, cette fois-ci!

📱 **03-08 20 h 20**

Super! *Luv!* xox

À : Marilou33@mail.com
De : Léa_jaime@mail.com
Date : Mercredi 5 août, 22 h 13
Objet : Est-ce que je peux retrouver le confort de ta nouvelle chambre, s'il te plaît ?

Salut, Lou !
Je déteste sentir que le temps passe trop vite, et c'est exactement ce qui s'est produit en fin de semaine. Ce n'est pas assez de passer quatre jours avec toi ! Je voulais plus, bon ! J'ai vraiment tripé sur ta nouvelle chambre chez ton père. J'aime aussi beaucoup ta déco 2.0 chez ta mère. En fait, j'ai trouvé ça génial de pouvoir passer du temps chez chacun d'eux (à part pour la crise que Zak a faite quand on est parties chez ta mère sans lui).

Je sais que tu te sentais mal qu'on n'ait pas fait grand-chose à part prendre du soleil, analyser nos vies et bouffer, mais c'est exactement ce dont j'avais besoin, alors merci encore pour tout ! Là, c'est à ton tour de venir me visiter. Et je n'accepterai pas que tu utilises Félix comme prétexte pour te défiler.

Parlant de lui, c'est assez bizarre de rentrer sans l'avoir dans les pattes. La maison est vraiment tranquille sans mon frère pour me gosser ou pour vider le frigo. Mes parents m'ont dit qu'ils lui avaient parlé deux fois au téléphone depuis son départ et qu'il avait l'air de se faire ben du *fun*.

Une chose est sûre, j'aurais bien aimé que Félix soit dans les parages aujourd'hui quand Oli est venu me rejoindre chez moi après mon quart de travail. Comme tu le sais, j'étais hyper nerveuse de le revoir après avoir reçu son SMS rempli d'amour et de passion, car je ne savais pas trop quoi répondre à ça. Je sais qu'on en a discuté en long et en large quand j'étais chez toi, mais mon trajet en autobus ne m'a pas aidée à y voir plus clair. J'étais flattée d'apprendre qu'il m'aimait, et j'avais hâte de le revoir parce que c'est toujours le *fun* de passer du temps avec lui... mais je n'étais pas prête à lui répondre. Je ne savais pas trop comment m'en sortir. Quand il a finalement sonné à ma porte, j'ai pris une profonde inspiration et je lui ai ouvert en souriant.

Oli : Wow ! T'es super bronzée ! Est-ce que tu m'as menti et tu as passé quatre jours au Mexique ?
Moi (en l'embrassant) : Pff. Il y a aussi du soleil dans mon trou perdu, tu sauras !
Oli : Je vois ça ! En tout cas, ça te va bien. T'es vraiment belle.
Moi (en rougissant un peu) : Merci...
Oli (en se moquant de moi) : Aw ! T'es tellement *cute* ! Tu es gênée que je te fasse des compliments.

Je lui ai donné une petite *bine* sur le bras pour essayer de me détendre.

Oli : Tes parents sont là ?

Moi : Non. Ils ne sont pas encore rentrés du travail.

Oli (en m'attirant vers lui) : Hum. Es-tu en train de m'annoncer que nous sommes seuls ?

Moi (en souriant, mal à l'aise) : Ouais, mais ils ne vont pas tarder, alors c'est mieux de rester dans le salon. Sinon, ils vont faire une syncope.

Oli : OK. Pas de trouble.

Il s'est assis sur le divan et m'a prise par la main pour que je m'installe auprès de lui.

Oli : Viens ici que je te colle un peu.

Moi (en me relevant d'un bond) : Eille ! As-tu soif ? Parce que moi, j'ai envie d'une limonade. En voudrais-tu une ?

Oli (en me regardant d'un drôle d'air) : Euh. Je prendrais juste un verre d'eau, s'il te plaît.

Moi : OK. Veux-tu quelque chose à manger ? Comme Félix n'est pas là pour tout dévaliser, il y a plein d'affaires dans le frigo.

Oli : Non merci, je...

Moi : Veux-tu un Popsicle ? Il fait chaud, non ?

Oli : Non, je n'ai pas super...

Moi : Je vais aller nous chercher ça !

Oli (en me dévisageant) : Ça va, Léa ?

Moi : Ben oui ! Je suis juste vraiment motivée à propos de mon Popsicle. Je reviens !

J'ai marché jusqu'à la cuisine en me forçant à respirer par le nez. *Relaxe, Léa. Tu es en train d'agir comme un dindon hystérique !*

J'ai regagné le salon en transportant un plateau contenant de la limonade, de l'eau, des biscuits et des chips.

Moi : Il ne restait plus de Popsicle, finalement...
Oli : C'est correct. Je n'ai pas faim, de toute façon.

Je me suis assise à côté de lui et j'ai commencé à tapoter le sofa comme s'il s'agissait d'un tambour.

Oli : Léa ?
Moi : Hum ?
Oli : Qu'est-ce qui se passe ?
Moi : Qu'est-ce que tu veux dire ?
Oli : *Come on !* Je le vois bien que tu es bizarre.
Moi (en feignant l'innocence) : Hein ? Moi ?

Oli s'est tourné face à moi et il a pris ma main dans la sienne.

Oli : Je pense que je sais ce qui te met dans cet état-là.
Moi : Ah ouais ?

Oli : C'est mon texto, c'est ça ?

J'ai rougi comme une *tomato* trop mûre.

Moi (en balbutiant comme une nouille) : Ah ! Je... ton...
non, non... je veux dire... je...
Oli (en souriant) : C'est ce que je pensais. Je ne voulais
pas te faire peur, Léa. J'avais juste envie que tu saches
ce que je ressens pour toi.

J'ai souri et j'ai fait un effort pour me calmer.

Moi : Tu ne m'as pas fait peur, Oli. C'est juste que...
Disons que ce n'est pas tous les jours qu'un gars me
dit ça.
Oli : J'espère !
Moi (en me détendant un peu plus) : J'avoue que sur
le coup, ça m'a fait un choc, mais je tiens à ce que tu
saches que ça m'a vraiment fait plaisir de lire que... de
lire ton message.
Oli : OK, mais je ne voudrais pas que tu sentes de la
pression. Je ne t'ai pas dit ça parce que je m'attendais
à quelque chose en retour...

Je me sentais soulagée. Je me doutais bien que mon
sursis ne durerait pas jusqu'au bal des finissants,
mais j'étais contente d'apprendre que je disposais
de quelques jours (ou idéalement semaines) pour

reprendre mes esprits et y voir plus clair dans tout ça.
Je l'ai embrassé en guise de réponse.

Moi : Tu sais que... je tiens à toi, hein ?

Oli (en me niaisant) : Non.

Moi (en le frappant avec un coussin) : Arrête ! Tu le vois bien que je suis un vrai pot de colle !

Oli (pince-sans-rire) : Es-tu en train de me dire que toutes les autres filles qui se frottent sur moi éprouvent aussi des sentiments ?

Moi (en écarquillant les yeux) : Quelles filles ? C'est Marianne et sa gang, c'est ça ?

Oli (en éclatant de rire) : Je te niaise, voyons !

Moi : Pff. Je le savais.

Oli (en m'embrassant sur la joue) : T'es *cute* quand t'es jalouse.

J'ai souri et je me suis lovée contre lui. On s'est collés pendant une bonne demi-heure jusqu'à ce que mes parents rentrent.

Mon père : Bonsoir, Olivier. Veux-tu rester à souper avec nous ? Comme Félix n'est pas là, ça ne me ferait pas de tort de pouvoir compter sur une autre présence masculine à table !

Olivier : Avec plaisir, monsieur Olivier !

Ma mère a fait réchauffer sa sauce à spaghetti et mon père a profité de son nouvel auditoire pour raconter ses folies de jeunesse, même si ma mère et moi avions déjà entendu ses histoires des millions de fois.

J'étais en train de débarrasser la table quand je l'ai entendu offrir à Olivier de se joindre à nous pour regarder un de ses vidéos d'Historia.

Olivier : Ça m'aurait vraiment tenté, mais je dois être au camp de jour à sept heures demain matin, alors je ferais mieux d'y aller.
Moi (en utilisant son excuse sans hésiter) : Ouais, c'est pareil pour moi. Je dois aussi me lever très tôt pour préparer mes beignes.
Mon père (en me prenant par le cou) : N'essaie pas de t'en sauver, toi ! Ta mère m'a déjà dit que tu travaillais seulement à 11 h.

J'ai envoyé un regard noir à ma mère, qui s'est mordu la joue pour ne pas rire.

Moi (en raccompagnant Oli jusqu'à la porte) : T'es sûr que tu ne peux pas rester encore un peu ? Il me semble que son documentaire serait moins plate si t'étais avec moi.
Olivier (en m'embrassant sur une joue) : Impossible. Mais je suis sûr que tu auras ben du *fun* !
Moi (en roulant les yeux) : N'exagère pas, quand même.
Olivier : Avant que j'oublie, j'ai un petit service à te demander...

Moi (d'un regard rempli d'espoir) : Tu veux que j'explique à José que tu ne veux plus être son ami et que nous n'aurons plus jamais à assister à ses partys plates ?

Olivier (en souriant) : *You wish!*

Moi : Une fille s'essaie. C'est quoi, alors ?

Olivier : J'ai essayé de t'épargner ça le plus longtemps possible, mais ça fait trois fois que mes parents me demandent de t'inviter à souper à la maison pour « apprendre à mieux te connaître ».

Moi : Oh. Wow. OK.

Olivier : Quoi ? Ça te fait peur ?

Moi : Un peu. Après tout, je ne les ai jamais rencontrés...

Olivier : Tu vas voir, ça va bien se passer ! Ils proposaient vendredi soir. Peux-tu ?

Moi : Non. J'ai déjà promis à Jeanne que j'irais dormir chez elle avec Katherine. Comme je ne les ai pas vues depuis mille ans, je me sentirais mal d'annuler.

Olivier : Pas de trouble. Samedi soir, alors ?

Moi : OK.

Olivier : Merci !

Il m'a embrassée et il est parti. Quant à moi, j'ai rejoint mon père pour visionner son documentaire sur la guerre de Corée, mais j'avoue que j'avais la tête ailleurs. Je n'arrêtais pas de penser au souper chez Olivier. Je sais qu'il est déjà venu plusieurs fois chez moi et que c'est normal que je rencontre aussi ses parents, mais une partie de moi se sent angoissée.

Le problème, c'est que je ne sais pas s'il s'agit d'une nervosité banale ou si elle est liée aux questionnements existentiels qui me tiraillent depuis une semaine : est-ce que c'est normal que je ne sois pas capable de lui dire que je l'aime ? Et plus précisément : suis-je amoureuse de lui ou non ?

Ah ! La vie était plus simple dans le confort de ta chambre ! Je donnerais tout pour y retourner !

J'espère que ta semaine de travail se passe bien. Écris-moi dès que tu peux !

Léa xox

Vendredi 6 août

18 h 12

Félix (en ligne): Salut, la sœur! Comment vas-tu? La vie n'est pas trop plate sans moi?

18 h 12

Léa (en ligne): Salut! Les parents étaient justement sur le point d'appeler la police européenne parce que ça faisait deux jours qu'ils n'avaient pas de tes nouvelles! Tout va bien? T'es où?

18 h 13

Félix (en ligne): Mets-en que ça va bien; je suis amoureux!

18 h 13

Léa (en ligne): Hein? Je ne comprends pas... T'es parti il y a huit jours!

18 h 13

Félix (en ligne): Oui. Et devine sur qui je suis tombé quand j'ai mis les pieds dans mon premier café parisien.

Léa (en ligne): Hum... Un serveur?

Félix (en ligne): Non; la femme de ma vie.

Léa (en ligne): HA! HA! HA! HA! HA!

Félix (en ligne): Je ne niaise pas! Elle s'appelle Laure. Elle lisait un roman à côté de notre table, et elle s'est jointe à nous quand elle s'est rendu compte que nous étions Québécois. Elle dit qu'elle a tout de suite été charmée mon «accent canadien».

Léa (en ligne): Je pense que je n'ai pas assez ri la première fois: Ha! Ha! Ha! Ha! Ha! Ha! Ha! Ha! Ha! Ha! Ha! Ha! Ha! Ha! Ha! Ha! Ha! Ha! Ha! Ha! Ha! Ha! Ha! Ha! Ha! Ha! Ha! Ha!

Félix (en ligne): Ris tant que tu veux; ça ne change rien au fait que je suis très sérieux. On a passé la semaine ensemble, elle et moi.

18 h 16

Léa (en ligne): Hein? T'as décidé de rester plus longtemps à Paris?

18 h 16

Félix (en ligne): Ouais. Les gars sont partis pour Bruxelles mercredi, mais moi je ne les ai rejoints qu'aujourd'hui, car je voulais passer plus de temps avec Laure. Finalement, j'ai réussi à la convaincre de me suivre en Belgique pour la fin de semaine. Après ça, elle doit rentrer en France pour étudier pour ses examens, mais elle va être capable de se libérer pour venir me rejoindre à Prague à la toute fin de notre voyage.

18 h 17

Léa (en ligne): Ouin. C'est intense, ton affaire. Une chance que je te connais assez pour savoir qu'une autre fille attirera certainement ton attention d'ici là.

18 h 17

Félix (en ligne): Pas cette fois-ci. Je suis vraiment amoureux, Léa.

18 h 17

Léa (en ligne): Excusez-moi, monsieur Cœur de guimauve, mais j'aimerais beaucoup parler à mon frère. Il s'appelle Félix Olivier, c'est un célibataire endurci incapable de s'investir dans une relation sérieuse, et c'est ce qui fait son charme. Pouvez-vous me le passer, s'il vous plaît?

18 h 18

Félix (en ligne): Désolé. Il est introuvable pour l'instant.

18 h 18

Léa (en ligne): Tu veux savoir ce que je pense?

18 h 18

Félix (en ligne): Non.

18 h 18

Léa (en ligne): Je crois que t'es sous le charme de ta Laurie-Chose simplement parce que tu sais très bien que ça ne mènera nulle part. C'est facile de t'emballer, car votre relation est déjà vouée à l'échec.

18 h 19

Félix (en ligne): Qu'est-ce qui te dit que notre amour n'a pas d'avenir?

18 h 19

Léa (en ligne): Euh. Toi?! Tu ne te souviens pas de ta grande philosophie cubaine? «Je ne suis pas fou, Léa! Il est hors de question que j'entretienne une relation à distance avec une fille qui vit en Allemagne!»

18 h 19

Félix (en ligne): Ouais, mais avec Laure, c'est différent.

18 h 20

Léa (en ligne): Pourquoi? À ce que je sache, la France est située tout près de l'Allemagne. À moins qu'elle ne se soit magiquement déplacée près de Blainville?

Félix (en ligne): Ce que je veux dire, c'est que Laure vaut tous les sacrifices que je n'étais pas prêt à faire avant. Ça clique vraiment entre nous, Léa. Elle est belle, intelligente et elle a vraiment du caractère.

18 h 21

Léa (en ligne): Tu sais que ce sont des qualités que tu peux aussi retrouver chez une Québécoise, hein?

18 h 21

Félix (en ligne): Ouais, mais on ne choisit pas qui l'on aime.

18 h 21

Léa (en ligne): *My God!* T'es tellement intense.

18 h 22

Félix (en ligne): Tu peux bien parler, madame Olivier-c'est-le-meilleur-et-le-plus-beau!

18 h 22

Léa (en ligne): Tellement pas! Je pense même que tu m'as transmis ton ADN avant ton départ.

Félix (en ligne): Pourquoi tu dis ça? Tu l'as *flushé*?

Léa (en ligne): Ben non! Mais je ne suis pas aussi papillon-pit-pit que toi.

Félix (en ligne): Les papillons, ça ne gazouille pas.

Léa (en ligne): Ta tête, c'est un papillon!

Félix (en ligne): Et toi, t'as le cerveau d'une chenille.

Léa (en ligne): Bon, là, je te reconnais!

Félix (en ligne): Hé, hé! Et avec les parents, comment ça se passe?

Léa (en ligne): Maman s'inquiète pour toi, et si ça continue comme ça, papa va me faire faire une indigestion de documentaires plates. Bref, il est temps que tu reviennes.

18 h 25

Félix (en ligne): Es-tu en train de me dire que je te manque?

18 h 25

Léa (en ligne): Non. Je dis juste que ta présence empêche les parents de sauter leur coche.

18 h 26

Félix (en ligne): Aw. Ma petite sœur s'ennuie de moi.

18 h 26

Léa (en ligne): Tellement pas.

18 h 26

Félix (en ligne): Je vais aller me coucher avant que tu te mettes à pleurer. Peux-tu juste dire aux parents que je suis vivant?

Léa (en ligne): OK. Dois-je aussi leur parler de tes fiançailles imminentes?

18 h 27

Félix (en ligne): Ça dépend! As-tu envie de te taper deux crises d'apoplexie?

18 h 27

Léa (en ligne): À bien y penser, je vais te laisser leur faire la grande annonce.

18 h 28

Félix (en ligne): Bonne nuit, la sœur! On se parle bientôt!

18 h 28

Léa (en ligne): *Ciao*, Cœur de guimauve!

À : Léa_jaime@mail.com
De : Marilou33@mail.com
Date : Samedi 8 août, 16 h 13
Objet : Je m'ennuie !

Salut !

Léa, je capote depuis que tu es partie ! J'essaie de m'occuper l'esprit avec la gang des sauveteurs et Laurie, mais je m'ennuie de toi ! ☺ Et je pense aussi beaucoup à JP. Je sais que je ne devrais pas, mais je me surprends parfois à m'imaginer qu'il fréquente une autre fille et qu'il est heureux, pendant que moi je me morfonds en écoutant nos chansons quétaines.

Je sais que je t'ai promis de ne pas consulter son profil Facebook en cachette, mais je commence à avoir les doigts qui me démangent. Je regrette de ne pas être allée fouiller pendant que t'étais là ! On dirait que je suis plus forte quand tu es auprès de moi et que tu peux me raisonner en me répétant que JP n'a pas pu m'oublier aussi vite. Grrr.

Sinon, ma mère est partie en vacances aujourd'hui chez sa sœur. Elle m'avait offert de me joindre à elle, mais je n'ai pas pu à cause du travail. Ça veut donc dire que je passerai les dix prochains jours chez mon père, et ensuite dix jours chez ma mère avant de retrouver un équilibre normal (si on peut appeler ça comme ça). Zak a tellement pleuré quand ma mère lui a annoncé qu'elle serait absente pendant plus d'une semaine que mon père et moi avons dû acheter son bonheur avec une boîte gigantesque de Lego. Je lui ai aussi offert de dormir dans ma chambre ce soir pour lui faire retrouver le sourire.

Et toi ? À ce que j'ai cru comprendre sur Skype, tu as une fin de semaine assez chargée, non ? Est-ce que ta soirée avec Jeanne et Katherine a réussi à te calmer ? Leur as-tu avoué que tu capotais un peu à propos d'Oli ?

Parlant de lui, j'espère que son souper de famille ne se déroule pas trop mal et que ta propension à faire des gaffes quand tu es nerveuse ne t'a pas poussée à t'étouffer à table. Pour ce qui est de tes questions existentielles, je te répète que, selon moi, les réponses vont apparaître d'elles-mêmes. Tu es bien avec Oli, alors tu n'as aucune raison de t'inquiéter. Je sais que tu te sens mal de sentir qu'il t'aime plus que tu ne l'aimes, mais il se peut très bien que ça change avec le temps.

Je pense que l'important, c'est que tu ne le compares pas trop à tes ex. J'ai même lu dans un magazine que ma mère a laissé traîner que chaque relation était différente, et qu'on n'aime jamais vraiment de la même façon. Je me suis dit que cette philosophie t'aiderait à te calmer les nerfs ! ☺

Bon, comme Zak me regarde avec des yeux de labrador, je vais aller jouer avec lui. Avoue que mon samedi est excitant, et que tu t'ennuies de vivre dans notre trou ! ;)

Tu me manques et j'ai très hâte d'avoir des nouvelles de tes activités sociales (à défaut d'en avoir, moi aussi).

Lou xox

À : Marilou33@mail.com
De : Léa_jaime@mail.com
Date : Dimanche 9 août, 14 h 14
Objet : La honte, version 456

Coucou !
Je viens juste de lire ton courriel et je t'en supplie à genoux : ne tombe pas dans le piège et ne succombe pas à la tentation (on dirait que je récite une prière) de Facebook ! Je te jure que ça ne donne rien. Penses-y deux minutes : si tu vois que JP est « célibataire », tu vas virer folle et analyser minutieusement chacune de ses photos à la recherche d'une conquête ennemie, et si tu vois qu'il est encore « en couple », tu vas quand même paranoïer en t'imaginant que c'est avec une autre ! Je sais qu'étant donné mes tendances (légèrement) hystériques, je suis mal placée pour te faire la leçon, mais c'est mon rôle de te ramener à l'ordre !

Et sache que même si ma fin de semaine est plus occupée que la tienne, j'ai pensé beaucoup à toi et je suis sûre que si on mesurait qui s'ennuie le plus de qui, c'est moi qui gagnerais !

Comme tu es un peu *down*, laisse-moi toutefois te divertir avec mes nouvelles mésaventures pathétiques. Vendredi, je suis arrivée chez Jeanne juste avant le souper. Comme il ne faisait pas beau, j'avais décidé de garder mon uniforme du Roi du Beigne sous mon imperméable pour faire une surprise aux filles. Mon plan était de sonner à la porte et d'écarter mon manteau dès qu'elles allaient m'ouvrir pour les faire pleurer de rire.

J'ai donc appuyé fermement sur la sonnette et j'ai attendu en frissonnant. J'ai finalement vu deux ombres s'approcher. La porte s'est ouverte et je me suis empressée d'écarter mon imperméable en sortant la langue.

Moi : SURPRISE !

J'ai levé les yeux pour voir leur réaction. C'est là que j'ai aperçu une dame en robe de soirée et un homme en smoking qui me dévisageaient. Ils devaient avoir dans la cinquantaine, et je ne les avais jamais vus de ma vie.

J'ai jeté un coup d'œil rapide vers l'adresse pour m'assurer que je ne m'étais pas trompée d'endroit, mais non, il s'agissait bien de la maison de Jeanne.

Moi (en refermant mon manteau d'un coup sec) : Oh ! Bonsoir ! Je... suis... une... Je...
La dame (en frappant des mains d'un air enjoué et en se tournant vers son mari) : Ça alors ! Vous avez fait venir un télégramme chantant pour mon anniversaire !

J'ai plissé les yeux. Ça mange quoi en hiver, un « télégramme chantant » ?
L'homme (en souriant à son tour) : Je n'en savais rien non plus, mais ce doit être une surprise de nos hôtes !
Moi (en essayant de m'expliquer) : Mais, je...
L'homme : Allez, ma petite ! Chante et montre-nous ce que tu sais faire.
Moi : Euh. Je... pense qu'il y a une erreur. Je...
L'homme (en toussotant pour s'éclaircir la gorge et en commençant à fredonner) : Joyeux anniversaire ! Joyeux anniversaiiiire !!!

Il m'a fait signe de chanter avec lui. J'avais l'impression qu'on me jouait un mauvais tour. J'ai regardé autour de moi, mais je n'ai pas vu de caméra cachée.

Moi (sans entrain) : Euh. Joyeux... a... anniversaire...
L'homme (en fronçant les sourcils) : Plus fort ! JOYEUX ANNIVERSAIRE !!!

Moi (en m'efforçant de le suivre) : J... Joyeux anniversaire, madame !

Une voix connue : Léa ?!? Qu'est-ce que tu fais à chanter sous la pluie avec mes invités ?

La mère de Jeanne s'est matérialisée derrière le couple.

Moi : En fait, je voulais faire une surprise à Katherine et Jeanne, mais je suis tombée sur vos amis...

La dame (en m'interrompant) : Oh ! Désolée, ma petite ! C'est ton uniforme qui porte à confusion. Je pensais que tu étais ici pour ma fête !

Jeanne (en arrivant derrière moi avec Katherine) : Euh, qu'est-ce qui se passe, ici ?

Sa mère (en se grattant la tête) : Aucune idée.

L'homme en smoking : Ce qui se passe, c'est que quand Jeannine et moi avons ouvert la porte et que ta petite amie est apparue devant nous avec son uniforme bizarre, on a tout de suite pensé qu'elle venait nous offrir une sérénade pour l'anniversaire de ma douce.

J'étais morte de honte. J'ai serré mon imperméable contre moi et Jeanne m'a fait entrer en se mordant la joue pour ne pas éclater de rire. Je suis montée dans sa chambre en quatrième vitesse en rageant contre mon karma. Pourquoi ces malheurs n'arrivent-ils qu'à moi ?

Jeanne (en retenant un rire) : Désolée, Léa. On était parties chercher des frites pour le souper...

Katherine (en pouffant sans retenue) : Moi, je suis vraiment contente ! Réalisez-vous qu'on parlera encore de cette histoire quand on aura obtenu notre diplôme de l'université ?

Je me suis tournée vers elles d'un air découragé, mais en voyant leurs mines hystériques, je n'ai pu m'empêcher d'éclater de rire aussi.

Nous avons attendu que les parents de Jeanne et leur couple d'amis bizarres soient partis pour descendre à la cuisine et engloutir notre souper. Les filles m'ont ensuite convaincue de défiler devant elles avec mon superbe uniforme de zèbre chantant, ce qui nous a poussées à nous raconter nos pires moments de l'été.

Jeanne nous a parlé de la petite fille qui avait vomi sur le court de tennis, puis Katherine a enchaîné avec l'histoire de la dame qui l'a engueulée parce qu'elle était persuadée qu'on lui avait volé ses faux ongles. J'ai ri à en avoir mal aux côtes et j'ai réalisé que mes amies m'avaient vraiment manqué.

Nous étions sur le point de dormir quand Jeanne m'a toutefois posé une question qui m'a momentanément fait perdre mon sourire.

Jeanne : Léa, on a potiné toute la soirée et tu ne nous as même pas parlé d'Oli. Comment ça va entre vous deux ?

J'hésitais à leur raconter l'histoire de son texto rempli d'amour et de mon hésitation à lui répondre, car une partie de moi préférait garder mes doutes enfouis dans le fin fond de ma conscience.

Moi : Ça va bien. Je vais même rencontrer ses parents demain pour la première fois.
Katherine (en souriant) : Tu vas voir, ils sont super gentils.

Jeanne et moi l'avons dévisagée d'un air surpris.

Moi : Hein ? Tu connais ses parents ?
Katherine : Euh... Je... oui. Je les ai croisés une fois quand ils sont venus chercher Oli à l'école.
Moi : Ah, OK. Bon, ça me réconforte un peu d'apprendre que tu les trouves cool.
Katherine : Et à part de ça, comment te sens-tu... euh, par rapport à lui ?

J'ai froncé les sourcils. Je savais qu'Oli et elle étaient de bons amis et sa question me paraissait un peu louche. Est-ce qu'il lui avait confié qu'il m'avait avoué qu'il m'aimait et que je n'avais pas su lui répondre ?

Moi : Euh... Je...

J'ai surpris un regard entre Jeanne et Katherine. Ça ne faisait aucun doute : elles savaient.

Moi : Oli t'a dit, hein ?
Katherine (en jouant l'innocente) : Hein ? Quoi ça ?
Jeanne (en roulant les yeux) : Ça suffit, les sous-entendus ! Pour répondre à ta question, Léa, Olivier a effectivement dit à Kath qu'il t'aimait et qu'il te l'avait dit. Et comme tu étais chez Marilou et qu'elle ne pouvait aborder la question directement avec toi, elle m'en a glissé un mot simplement pour me demander si je savais comment tu avais réagi.

Je me suis couchée sur le dos et j'ai contemplé le plafond pendant plusieurs secondes.

Jeanne : Ça va, Léa ?
Moi : Ouais. Je suis juste un peu confuse.
Katherine : Si ça peut t'aider, essaie de situer ça sur une échelle de sentiments.
Moi : Qu'est-ce que tu veux dire ?
Katherine : Je vais essayer d'être plus claire : quand Félix m'a dit qu'il m'aimait la première fois, j'ai senti que mon cœur allait exploser de bonheur, mais quand James m'a fait sa grande déclaration, j'ai plus eu envie de me cacher six pieds sous terre. Toi, tu te situes où ?

J'ai soupiré et je me suis tournée vers elles.

Moi : Je ne sais pas. C'est sûr que ça me touche qu'il soit amoureux de moi, et je sais que je suis bien avec lui, mais on dirait que je ne ressens pas la même intensité qu'avec Thomas. En même temps, je n'ai pas le goût de casser. C'est mélangeant, tout ça.

Katherine (en me souriant) : Je pense que tu t'inquiètes pour rien.

Jeanne : Kath a raison. L'important, c'est que tu sois bien avec lui.

Moi : Donc je n'ai pas à me sentir mal, même si je ne me sens pas prête à... lui dire que mes sentiments sont réciproques ?

Katherine : Pas du tout.

Jeanne : Qui dit que tu dois aller à la même vitesse que lui ?

J'ai souri et j'ai poussé un soupir de soulagement.

Hier matin, je me suis donc levée confiante. J'allais rencontrer les parents d'Oli, et je n'avais pas de raison de douter de moi.

Katherine : Évite de te pointer là avec ton *kit* du Roi du Beigne, et tout ira super bien !

Moi : C'est noté. Mais qu'est-ce que je mets ? Je ne veux pas avoir l'air trop relaxe, ni trop pognée.

Jeanne : Jeans et chandail noir. Un classique.

Katherine : Non. Il fait trop chaud. Moi, j'opterais plus pour une robe un peu conservatrice avec une petite veste.

Jeanne : Ben là ! On dirait que tu l'envoies chez le président des États-Unis ! Pourquoi pas une jupe et une chemise ?

Katherine : Euh, parce que je n'ai jamais vu Léa porter ça en deux ans ?

Moi (en riant) : Merci, les filles. Vous m'avez aidée à éliminer pas mal d'options !

Je suis rentrée chez moi et j'ai fait une razzia dans ma garde-robe, mais rien ne semblait convenir à l'événement auquel je m'apprêtais à assister. J'ai évidemment essayé de te joindre, mais sans succès. Quand ma mère est passée devant ma porte et qu'elle a vu l'état de ma chambre, elle a haussé un sourcil et s'est approchée de moi.

Ma mère : Qu'est-ce qui se passe ?

Moi : Je cherche un *kit* pour ce soir. Je vais rencontrer les parents d'Oli pour la première fois et ça me stresse un peu.

Ma mère s'est penchée et a ramassé ma robe préférée (la rouge avec des petits oiseaux noirs que j'ai achetée chez Forever 21).

Ma mère : Mets celle-ci. Chaque fois que tu la portes, tu rayonnes et tu as l'air sûre de toi.

Moi (en lui faisant un câlin): Merci de jouer le rôle de Marilou, maman. J'avais vraiment besoin que quelqu'un me gère !

J'ai pris ma douche et j'ai passé près d'une heure à me pomponner pour faire bonne impression. Je m'apprêtais à partir quand ma mère m'a offert des fleurs.

Ma mère (en me tendant le bouquet): Tiens.

Moi : Merci, maman, mais ce n'était pas nécessaire.

Ma mère : Ce n'est pas pour toi, voyons ! C'est juste pour ne pas que tu arrives là-bas les mains vides. Je suis sûre que sa maman va apprécier le geste.

Moi : OK. Tu es officiellement ma sauveuse.

Ma mère (en haussant les épaules): Ce n'est rien, voyons. C'est juste que je suis déjà passée par là et que je me rappelle des trucs qui ont aidé à amadouer ma belle-mère.

Moi : Tu parles de grand-maman ?

Ma mère (en riant): Non. La mère de ton père, je n'ai jamais réussi à l'apprivoiser !

Mon père (en se pointant derrière elle): Ce n'est pas vrai ! La preuve, c'est que l'an dernier, elle a insisté pour que tu viennes la visiter avec moi au Saguenay !

Ma mère : Et si tu te souviens bien, cette super visite lui aura permis de critiquer ma coupe de cheveux et la longueur de ma jupe !

Mon père : C'est parce qu'elle est jalouse que tu lui aies volé son fils adoré. Ce n'est pas facile de laisser aller un homme comme moi, tu sais !

Mon père a bombé son torse et j'ai roulé les yeux.

Moi : Parlant de ça, Super Papa, est-ce que tu aurais la gentillesse de me conduire chez Oli ?

Mon père : Hum. OK.

Ma mère (en riant de mon père) : Ça t'apprendra à te penser bon !

J'ai pris mon sac à main et nous sommes partis en vitesse. Nous avons roulé en silence pendant un petit moment.

Mon père (en me regardant de travers) : Ça va ? T'as l'air nerveuse.

Moi : Ouais. C'est la première fois que je vis un truc comme ça. La mère de Thomas, je la connaissais avant même de sortir avec lui. Pareil pour Éloi ; comme nous étions amis avant de sortir ensemble, il n'y a jamais eu de « présentations officielles ». Je ne sais pas trop comment agir.

Mon père : Je sais que ça sonne cliché, mais reste toi-même.

Moi : Pas sûre que c'est ça qui va les conquérir…

Mon père : S'ils ne t'aiment pas comme tu es, c'est qu'ils ne te méritent pas.

J'ai souri.

Mon père (en rangeant sa voiture devant la maison d'Olivier) : Je passe te prendre à 21 h 30 ou 22 h ?

Moi : 21 h, ça va être en masse.

Mon père a ri et s'est éloigné. Olivier est venu m'ouvrir avant même que je sonne à la porte.

Moi : Salut ! T'as senti mon aura de l'intérieur de ta maison ?

Oli (en prenant ma main) : Presque ! Je te surveillais par la fenêtre.

Il s'est penché pour m'embrasser, mais quand j'ai vu ses parents qui nous attendaient dans l'embrasure de la porte, j'ai détourné la tête pour qu'il se contente d'un baiser chaste sur la joue.

Sa mère (en me tendant la main) : Bonjour, Léa ! Olivier nous a beaucoup parlé de toi ! Ça nous fait vraiment plaisir de te rencontrer.

Moi (en souriant) : Le plaisir est pour moi, madame…

Merde. Le nom de famille d'Olivier est Girard. Selon la tradition, je me doutais qu'il s'agissait de celui de son père. Est-ce que sa mère allait s'offenser si je l'appelais madame Girard ? Allait-elle me traiter de femme des cavernes et me claquer la porte au nez ?

Sa mère : C'est Richer, mais je préfère que tu m'appelles Caroline. Et que tu me tutoies. Sinon, je vais me sentir vieille.
Moi : Parfait, Caroline.
Son père : Et moi, c'est Philippe.

J'ai observé ses parents de plus près. Ils avaient l'air d'être dans la trentaine.

Moi (en m'installant au salon avec le verre d'eau qu'ils venaient de m'offrir) : Je... Je ne veux pas être indiscrète, mais vous deviez être jeunes quand vous avez eu Oli, non ?
Caroline : Oui. On adore Olivier, mais je ne peux pas dire qu'il était... hum... prévu.
Oli (en jouant au gars offensé) : Merci !
Philippe : Notre fils a été conçu le soir du bal des finissants.
Oli : Ark ! Trop d'informations !
Philippe : Ben, voyons ! Tu es capable d'en prendre !

J'ai souri. C'était bizarre de voir Oli dans son contexte familial. J'avoue que je ne l'imaginais pas avec des parents aussi... ouverts!

Caroline: Tout ça pour dire que j'avais à peu près ton âge, Léa!
Philippe: C'est pour ça qu'on répète souvent à Olivier que c'est important de se protéger!
Caroline: On ne voudrait surtout pas qu'il suive notre exemple.
Philippe (en me faisant un clin d'œil): Après tout, nous sommes beaucoup trop jeunes pour être grands-parents.

J'ai toussoté et j'ai rougi jusqu'aux oreilles. Ça faisait sept minutes que j'étais arrivée chez Oli et ses parents faisaient déjà des allusions sexuelles. Au. Se. Cours.

Olivier (en secouant la tête): *Oh. My. God.* Vous êtes tellement intenses. Désolé, Léa. J'avais pourtant demandé à mes parents de ne pas me faire honte...
Caroline: Mais non! On fait des blagues pour que Léa se détende!

Euh, c'est raté.

Moi (en voulant à tout prix changer de sujet): J'ai aussi cru comprendre que vous aviez beaucoup voyagé?

Philippe : Oui. Comme nous avons passé la fin de notre adolescence et une bonne partie de notre vingtaine à prendre soin de ton chum, on a décidé de se reprendre quand il a été assez vieux pour trimballer lui-même sa petite valise à roulettes !

Caroline : On a vécu un peu partout aux États-Unis. Philippe était représentant pour une compagnie alors on devait souvent changer de port.

Philippe : Et quand Olivier a eu dix ans, je me suis fait offrir un poste similaire en Europe.

Moi : Wow. Ç'a dû être génial !

Caroline : Mets-en ! La France me manque. Et l'Espagne aussi...

Moi (d'un ton impressionné) : Olivier, t'es tellement chanceux d'avoir pu vivre tout ça !

Oli : Tout est relatif ; moi, je me trouvais plutôt malchanceux quand venait le temps de quitter mes nouveaux amis et de déménager pour la troisième fois en un an.

Caroline : Arrête ! Ça t'a permis d'apprendre plein de choses.

Oli : Je sais, mais je suis quand même content que vous ayez décidé de vous réinstaller ici pour une période indéterminée.

Philippe : C'est vrai que c'est l'une des premières fois où on te donne le temps de te faire une blonde.

Oli : Papa !

J'ai souri. J'étais contente de constater que je n'étais pas la seule qui avait honte de ses parents par moments.

Caroline (en se levant) : Bon ! Je vais allumer le barbecue avant que notre fils nous renie officiellement !
Moi : Avez-vous besoin d'aide pour quelque chose ?
Philippe (en rejoignant son épouse) : Non ! Prenez ça relaxe ! Caro et moi, on s'occupe de tout !
Oli : Je t'avertis tout de suite, mes parents ne sont pas de grands chefs, mais je pense qu'ils vont essayer de t'impressionner avec leur spécialité : des burgers de poulet.
Moi : Je te rappelle que la première fois que tu es venu chez moi, on a mangé de la pizza parce que l'ami bizarre de mon frère avait raté son couscous *vegan*.
Oli (en se collant contre moi) : Et tu comprends maintenant pourquoi cette mésaventure ne m'a pas trop traumatisé.

J'ai souri et nous nous sommes mis à table. Le souper s'est plutôt bien déroulé. Ses parents m'ont posé des questions sur mon enfance, sur mon déménagement et sur mes champs d'intérêts. Je répondais du tac au tac en faisant des blagues et en m'efforçant de suivre les conseils de mon père. Malheureusement pour moi, les choses se sont gâtées au dessert.

Caroline : En tout cas, on est très contents de te rencontrer en chair et en os ! Oli nous parle tellement souvent de toi que tu étais presque devenue une figure mythique.

Philippe : C'est vrai que ce n'est pas tous les jours qu'on voit notre Olivier aussi amoureux.

Oli (en laissant tomber sa tête sur la table) : Tuez-moi, quelqu'un.

Moi (en voulant l'aider) : Je suis sûre que tes parents exagèrent, Oli !

Caroline : Même pas !

Olivier est devenu écarlate.

Moi : Ben... Peut-être qu'il parle souvent de moi parce qu'on passe beaucoup de temps ensemble. Genre que j'apparais souvent dans ses histoires parce que je suis là physiquement. Mais ça ne veut pas dire qu'il est « amoureux fou » !

J'avais fait des signes de guillemets avec mes doigts pour appuyer mes propos, comme si ça donnait plus de crédibilité à ce que je disais. Ses parents m'ont regardée d'un drôle d'air.

Moi : Je... comprenez-moi bien : je n'ai rien contre l'amour. Après tout, qui peut s'opposer à ça ?

Olivier a toussoté et ses parents m'ont souri poliment, mais ils n'avaient pas l'air de comprendre où je voulais en venir. J'ai donc décidé de poursuivre mon monologue question de me caler encore plus.

Moi : Ce que j'essaie de dire, c'est qu'Oli ne semble pas trop avoir perdu la tête depuis qu'on sort ensemble. Bon, c'est sûr que ça lui arrive de faire des niaiseries, genre de parler en classe, ou de sécher un cours, ou d'organiser un party quand vous n'êtes pas là, mais c'est ce que tous les jeunes font, non ?

Cerveau appelle Léa. Arrête. De. Parler.

Moi : À vrai dire, il y a des ados qui sont pas mal plus rebelles que lui. La preuve, c'est que vous avez conçu votre fils avant même d'avoir fini votre secondaire !

Bravo, championne. Ça va sûrement t'aider d'insulter tes beaux-parents. Continue comme ça !

Moi (en soupirant et en secouant la tête) : Désolée, je m'exprime mal. Ce que je voulais dire, c'est que malgré tout ça, Olivier est VRAIMENT un bon gars. Et qu'il n'a pas besoin d'étudier tant que ça pour passer ses exams !

Oli m'a observée en haussant un sourcil. Voilà ce qui arrive quand Léa Olivier décide de rester elle-même.

Moi : Pour conclure, Olivier est un chum exemplaire...
qui est assez bon à l'école pour réussir sans crouler
sous la pression des études.

Son de criquet.

Moi (en levant le doigt pour ajouter une dernière
chose) : Mais ne vous inquiétez pas, je ne crois pas
que l'amour lui soit monté à la tête au point de faire des
niaiseries comme mon frère, qui est pratiquement en
train de marier une Française.

Mon intervention non pertinente a évidemment créé un
froid polaire autour de la table. Je me suis concentrée
sur ma tarte au sucre en me mordant la lèvre pour
éviter de dire d'autres niaiseries.

Philippe (en toussotant) : Je... Wow. Merci, Léa, pour
toutes ces informations.
Caroline (en s'efforçant de sourire) : Je vais desservir.
Moi (en me levant d'un coup sec et en faisant tomber
mon verre d'eau sur la table) : Je vais vous aider ! Mais
laissez-moi d'abord essuyer mon dégât.
Caroline (en posant sa main sur la mienne pour me
calmer) : Ça va aller, Léa. Philippe et moi, on s'occupe
de tout. Pourquoi Olivier et toi n'en profitez-vous pas
pour passer un peu de temps en amoureux ?
Moi : Euh, OK. Merci, madame Girard. Euh, madame
Rivard.

Caroline : C'est Richer.
Moi : Désolée.

J'ai suivi Olivier jusqu'à sa chambre et je me suis effondrée sur son lit en plaquant un oreiller sur ma tête.

Moi (en marmonnant) : Je m'excuse, Oli. Je t'ai tellement fait honte. Et je t'ai *stoolé* ! Tes parents vont penser que t'es un rebelle à cause de moi !
Olivier (en retirant l'oreiller et en souriant) : Mais non. Crois-moi, mes parents sont capables d'en prendre !
Moi : T'es sûr ? Parce que si tu te souviens bien, je les ai pratiquement traités d'irresponsables parce qu'ils t'ont eu jeunes !
Olivier : Tu n'as pas tout à fait tort...
Moi : Et en essayant de te venir en aide, j'ai eu l'air de la fille qui ne veut rien savoir de l'amour !
Olivier : Ça fait partie de ton charme.
Moi (en me redressant sur son lit) : Es-tu en train de me dire que tu ne m'en veux pas d'avoir révélé à tes parents que non seulement tu n'étudiais pas, mais que tu séchais parfois tes cours, que tu dérangeais en classe et que tu organisais des partys dans leur dos ?
Olivier (en haussant les épaules) : Exact.
Moi : Mais Oli, j'ai *tellement* été épaisse ! Je te jure que si je pouvais, je casserais immédiatement avec moi-même dans la seconde qui suit. Bref, ne te gêne surtout pas pour me laisser.

Olivier (en riant) : Mais non ! Tu étais nerveuse, c'est tout ! Et si ça peut te rassurer, mes parents savent très bien que je ne suis pas un ange.
Moi : Ils ont quand même dû me trouver un peu intense avec mes tirades sur l'amour. Ça n'avait aucun rapport.
Olivier : Tu capotes. Je suis sûre qu'ils t'ont trouvée charmante.

J'ai observé Olivier pendant quelques instants, puis j'ai pensé à ce que tu m'avais écrit à propos de l'article dans le magazine de ta mère. Et si c'était vrai qu'on n'aimait jamais de la même façon ?

Je sais que ce que j'ai éprouvé pour Thomas était intense. C'était une sorte d'amour torride qui me dévorait de l'intérieur et qui consumait chaque seconde de ma vie, mais regarde où ça m'a menée ! Peut-être que ce genre de passion n'est tout simplement pas viable à long terme, et que ce que je recherche se trouve juste devant moi. Après tout, c'est toujours simple et le *fun* avec Oli. Ce n'est peut-être pas dévorant et tourmentant comme avec Thomas, mais j'ai l'impression que je peux vraiment être moi-même (ce qui n'est peut-être pas toujours une bonne chose !) et que c'est beaucoup plus sain pour moi.

Oli m'a souri. Comment pouvais-je ne pas aimer ce garçon qui m'acceptait même quand j'agissais comme la pire dinde de la planète ?

Olivier (en plissant les yeux) : À quoi tu penses ? Pourquoi tu me regardes comme ça ?

Moi (sans réfléchir) : Parce que je viens de réaliser quelque chose.

Olivier : Quoi, ça ?

Moi : Je t'aime, moi aussi.

Il m'a regardée d'un air surpris, puis il m'a serrée très fort dans ses bras.

Olivier : T'es sûre ? Je ne voudrais surtout pas que tu me le dises parce que tu te sens obligée de répondre quelque chose.

Moi (en caressant sa joue) : Non. Je le dis parce que c'est vrai.

Olivier a posé ses lèvres sur les miennes, et notre baiser est vite devenu passionné. On a continué jusqu'à ce que son père vienne nous interrompre en toussotant.

Son père (en regardant ailleurs) : Tousse. Tousse. Hum, désolé de vous déranger, mais le père de Léa est là.

La mention de mon père a suffi pour me faire reprendre mes esprits.

Moi : Merci ! J'arrive dans une minute.

J'ai souri à Oli et il m'a raccompagnée jusqu'à la porte. Mon père était en grande conversation avec les parents d'Oli.

Moi : Merci pour tout. Le souper était très bon, et je suis vraiment contente de vous avoir rencontrés.
Caroline (en souriant) : Nous aussi, Léa.

Je m'apprêtais à sortir quand je me suis retournée vers eux.

Moi : Oh, et en passant, oubliez ce que j'ai dit tantôt. Tant mieux si Oli parle tout le temps de moi et s'il a l'air amoureux.

Ses parents ont souri. J'avais encore pas mal de rattrapage à faire, mais je savais que je venais de marquer un point.

Voilà donc le long résumé de ma fin de semaine. Comme tu vois, je me cale toujours autant quand tu n'es pas là pour me dire quoi faire. J'en conclus donc que tu es toujours aussi indispensable dans ma vie, et ça me rend tellement heureuse de savoir qu'on reste aussi proches malgré la distance. Je ne sais pas s'ils parlent de ça dans ton magazine, mais ce n'est pas donné à tout le monde de conserver une amitié comme ça !

Bref, tant qu'à me sentir fleur bleue, je tiens aussi à te faire une grande déclaration : je t'aime, Lou, et je ne sais pas ce que je ferais sans toi !

Léa xox

Chapitre 2 :
Pogo, nausée et dindes teintées

Mercredi 12 août

17 h 12

Léa (en ligne): Salut! J'ai une question pour toi.

17 h 13

Alex (en ligne): Salut, Rongeur! Je t'écoute!

17 h 13

Léa (en ligne): Comment se fait-il que quand tu sortais avec une fille qui me détestait, on arrivait quand même à se voir, mais que depuis que tu as cassé avec elle, je n'ai pratiquement plus de nouvelles de toi?

17 h 14

Alex (en ligne): Hum... Toute une colle! Si je te dis que j'ai été super occupé à la *job* et que j'ai passé du temps avec les gars, vas-tu me croire?

17 h 15

Léa (en ligne): Je vais essayer. Mais tu vas commencer à perdre ta crédibilité si on ne se voit pas dans les plus brefs délais.

17 h 15

Alex (en ligne): Demain, ça t'irait?

17 h 16

Léa (en ligne): Oui! Je finis de travailler à 14 h. On se rejoint chez toi en fin de journée?

17 h 16

Alex (en ligne): Non. Je préfère te retrouver au travail. Pas question que l'été se termine sans que je t'aie vu dans ton costume d'abeille nauséeuse.

17 h 17

Léa (en ligne): T'as une façon tellement romantique de présenter la chose que je me vois dans l'obligation d'accepter (à condition que tu ne prennes pas de photo. J'ai eu assez d'ennuis avec ça dans le passé).

17 h 17

Alex (en ligne): Promis! Et toi, quoi de neuf?

Léa (en ligne): Pas grand-chose: travail, Oli, parents-demandants-parce-que-Félix-n'est-pas-là...

17 h 18

Alex (en ligne): C'est vrai! Comment ça se passe, son voyage?

17 h 19

Léa (en ligne): Aux dernières nouvelles, il était amoureux d'une Française et voulait la ramener ici.

17 h 19

Alex (en ligne): Cool! Je suis sûre que tu vas triper avec ta nouvelle grande sœur.

17 h 20

Léa (en ligne): Arrête; tu vas me faire pleurer! Et toi? Que se passe-t-il de bon dans ta vie? As-tu reparlé à Marguerite?

17 h 21

Alex (en ligne): Pas directement.

17 h 22

Léa (en ligne): Ça veut dire quoi, ça?

17 h 22

Alex (en ligne): Qu'elle a plutôt fait téléphoner ses amies pour me soutirer des informations.

17 h 23

Léa (en ligne): Laisse-moi deviner: les nunuches t'ont appelé pour savoir comment tu allais?

17 h 23

Alex (en ligne): Bingo! Et Marianne m'a demandé si je sortais avec toi.

17 h 23

Léa (en ligne): Ben, voyons! Elles sont donc bien paranos! En plus, elles savent pertinemment que je sors avec Olivier.

17 h 24

Alex (en ligne): Ouais, mais selon elles, il ne s'agit que d'un *front*.

Léa (en ligne): Traduction, s'il te plaît? (Tu surestimes mon vocabulaire anglophone.)

Alex (en ligne): Genre que tu sors avec lui pour les apparences, mais qu'au fond, tu es folle amoureuse de moi.

Léa (en ligne): Évidemment.

Alex (en ligne): Ben quoi? Y a pire dans la vie que de succomber à mes charmes...

Léa (en ligne): Ouais; j'en sais quelque chose.

Alex (en ligne): C'est vrai; j'avais presque oublié que tu avais déjà craqué pour moi...

Léa (en ligne): Ça m'arrive d'oublier, aussi.

Alex (en ligne): Pff! Tu dis ça, mais je suis sûr que tu rêves encore de moi la nuit!;)

Léa (en ligne): Ha, ha! Même si le souvenir de notre pas-de-relation me tourmente, tu peux tout de même rassurer les nunuches: mon histoire avec Oli n'a rien d'un *front*. Sur ce, je vais devoir te laisser, car mon père veut que je lui explique le fonctionnement de Facebook. Soupir.

Alex (en ligne): Au secours! Je pense qu'il va bientôt nous falloir un nouveau réseau social, car le nôtre est en train de se faire envahir par les parents!

Léa (en ligne): J'approuve complètement. Peux-tu te mettre sur le dossier?

Alex (en ligne): OK. Je vais essayer de nous gosser quelque chose avec de la ficelle, un vieux modem et une *drill*.

17 h 28

Léa (en ligne): Super! (P.-S. Prière de ne pas te diriger vers une carrière en informatique. Ça pourrait se révéler dangereux pour l'humanité!)

17 h 28

Alex (en ligne): Je vais essayer de m'en rappeler!;) À demain, poil de maïs!

📱 **14-08 20 h 09**

Salut, Léa! Qu'est-ce que tu fais?

📱 **14-08 20 h 10**

Allo, Kath! Je viens de raccrocher avec Marilou. Elle était sur le point de craquer et d'aller espionner le profil de son ex sur Facebook! Toi?

📱 **14-08 20 h 10**

Je m'apprête à regarder un film sur Netflix. Je me cherchais une activité palpitante à faire, mais la pluie me démotive un peu et je suis seule à la maison.

📱 **14-08 20 h 11**

Je te comprends. Je ne pensais jamais dire ça, mais je commence à m'ennuyer de Félix!

📱 **14-08 20 h 11**

Qu'est-ce que t'as fait, hier?

📱 **14-08 20 h 12**

Je suis allée chez Alex. On a joué au billard (je suis vraiment nulle) et on est allés manger une grosse poutine. C'était très cool jusqu'à ce que Marguerite lui envoie un «super» SMS...

📱 **14-08 20 h 13**

OH! Raconte!

📱 **14-08 20 h 13**

Alex a croisé un ami de José au casse-croûte. J'en déduis que ce dernier a texté à Maude et que ça s'est rendu aux oreilles de son ex.

📱 **14-08 20 h 14**

Ben là! Il ne lui doit plus rien, et vous avez le droit de vous bourrer la face en paix. Sais-tu qu'est-ce qu'elle lui a écrit?

📱 **14-08 20 h 14**

«Je savais que tu finirais par sortir avec elle. T'es tellement hypocrite.»

📱 **14-08 20 h 15**

C'est clair qu'elle cherche juste à le provoquer pour se faire rassurer.

📱 **14-08 20 h 15**

Ouais. C'est pour ça qu'il a décidé de ne pas lui répondre.

📱 **14-08 20 h 15**

Sage décision. L'amour, c'est tellement compliqué, des fois.

📱 **14-08 20 h 16**

Parlant de ça, quoi de neuf de ton côté?

📱 **14-08 20 h 16**

Pas grand-chose depuis que j'ai cassé avec James.

📱 **14-08 20 h 17**

D'ailleurs, tu ne m'as jamais vraiment expliqué ce qui t'avait poussé à le laisser. C'est parce que tu ne l'aimais pas?

📱 **14-08 20 h 18**

Ouais. Je sentais qu'il tenait plus à moi que moi à lui, et ça me faisait sentir mal.

📱 **14-08 20 h 18**

Et pour reprendre tes sages conseils, tu ne penses pas que ça aurait pu évoluer?

📱 14-08 20 h 19

Honnêtement, non. Je le trouvais bien gentil, mais on dirait qu'au fond de moi, je savais que je n'allais jamais être amoureuse de lui.

📱 14-08 20 h 19

Alors, tu as bien fait.

📱 14-08 20 h 20

Et toi, avec Oli? Est-ce que ça avance?

📱 14-08 20 h 21

Oui! La semaine dernière, je suis allée manger chez ses parents et ça ne s'est pas super bien passé. J'ai vraiment agi comme une nouille, mais Oli ne m'a pas jugée, et j'ai réalisé que c'était vraiment précieux de pouvoir compter sur quelqu'un qui m'aimait comme j'étais. Tout ça pour dire que tes conseils m'ont vraiment aidée. Merci, Kath!

📱 14-08 20 h 22

C'était rien, voyons.

📱 14-08 20 h 23

Au contraire. T'as plus d'expérience que moi dans le domaine et j'avais besoin de ça pour avancer. Pour te remercier, que dirais-tu de nous accompagner à La Ronde, la semaine prochaine? Oli a le goût d'y aller une dernière fois avant la rentrée.

📱 14-08 20 h 23

Euh... Ben ce n'est pas que ça ne me tente pas, mais je ne veux pas être la troisième roue...

📱 14-08 20 h 24

Alors, on n'a qu'à inviter Jeanne!

📱 14-08 20 h 24

OK! Si c'est un truc de groupe, j'embarque!

📱 14-08 20 h 25

Super! Je te reviens là-dessus! Bonne soirée Netflix!

📱 14-08 20 h 25

Merci! *Luv* xox

À : Léa_jaime@mail.com
De : Marilou33@mail.com
Date : Lundi 17 août, 18 h 11
Objet : Nager sous la pluie

Salut !

Je ne sais pas s'il fait aussi dégueu à Montréal qu'ici, mais je t'informe que les gens n'ont pas trop le goût d'aller nager quand il fait 16° dehors et qu'il pleut à grosses gouttes. Les autres sauveteurs et moi, nous nous sommes obstinés pendant vingt minutes ce matin avec la direction de la piscine pour les convaincre de fermer, mais ils nous ont dit qu'à moins qu'il n'y ait des éclairs, c'était de leur devoir de permettre aux citoyens de venir se rafraîchir, beau temps, mauvais temps.

Comme je travaillais avec Yannick et Jasmine, on a décidé de s'installer dans la petite verrière à l'avant de la piscine pour jouer aux cartes, ce qui a fait passer le temps un peu plus vite. Yannick m'a ensuite proposé de me reconduire chez moi pour ne pas me faire tremper.

Yannick : Ça va ? T'as l'air un peu déprimée, aujourd'hui.
Moi : Je pense que le temps morose déteint sur mon humeur.
Yannick : T'es sûre que c'est juste le climat et que ce n'est pas... ton ex qui te met dans cet état-là ?
Moi : Euh... Je... Non, non.

Yannick : *Good*. J'avais peur que les potins de Paule t'aient rendue parano.

Moi (en sentant mon cœur s'accélérer) : Quels potins de Paule ?

Yannick est devenu blême.

Yannick : Euh, rien. Laisse faire.

Il s'est rangé devant l'immeuble de mon père.

Moi : Yannick, crache le morceau, s'il te plaît.

Yannick (en soupirant) : Moi et ma grande trappe.

Moi : Le mal est fait. Maintenant, dis-moi ce que t'as entendu.

Yannick : Ce n'est pas un *big deal*. C'est juste que Paule et sa cousine sont allées dans un party en fin de semaine, et il paraît que c'était louche entre ton ex et l'une des filles qui étaient là-bas.

Mon cœur battait maintenant à vive allure, et j'avais les mains moites.

Moi : Mais... Je ne comprends pas. Je n'ai jamais dit à Paule qui était mon ex.

Yannick : Non, mais sa cousine est super proche d'une fille qui s'appelle Odile, et il paraît qu'elle le connaît bien. C'est elle qui lui en a parlé.

Évidemment. Il n'y a pas de fumée sans Sarah et sa gang de cruches.

Moi : Ce village est trop petit. Tout le monde se connaît.
Yannick : Je sais.
Moi : As-tu des détails ? Sais-tu où était le party ? Et c'était qui la fille qui tournait autour de JP ?
Yannick : Non... Désolé. N'oublie pas que je suis un gars et que je suis nul en potins. Mais tu peux appeler Paule, si tu veux.
Moi (en souriant) : Je vais y penser. Merci pour le *lift*, Yannick. Bonne soirée !

Je suis rentrée chez moi et j'ai aperçu une note sur le comptoir.

Zak avait une rage de poulet barbecue. Viens nous rejoindre quand tu rentreras ! Papa xx

J'étais plutôt soulagée de me retrouver seule. J'ai laissé tomber mon sac sur le sol et j'ai éclaté en sanglots. Ça me faisait capoter d'imaginer JP avec une autre. Je savais que je pouvais prendre le téléphone et soutirer des infos à Paule, mais j'avais trop peur que ça se rende jusqu'aux oreilles de Sarah ou d'Odile. Il y a quand même des limites à les attiser.

La seule solution qui me restait pour satisfaire ma soif de savoir était Facebook. Je sais que ce n'est pas sain et bla, bla, bla, mais je n'arrivais plus à me retenir.

J'ai ouvert mon ordi et je me suis dirigée directement sur la page de JP. Conclusion : j'ai de bonnes et de mauvaises nouvelles.

Commençons par les bonnes :

1. Il n'est pas inscrit comme étant « célibataire ». Il n'est pas non plus « en couple ». En fouillant comme du monde, j'ai réalisé qu'il avait simplement éliminé la catégorie « relation ». Comme ma paranoïa de la dernière heure m'avait poussée à croire qu'il s'affichait déjà publiquement avec une autre, j'ai perçu ça comme un soulagement.

2. Il n'a pas enlevé les photos de nous. Sa page et ses albums en sont encore remplis.

3. Sa photo de profil est inchangée. C'est toujours celle que j'avais prise de lui alors qu'il me regardait d'un air amoureux.

4. La plupart de ses statuts des derniers mois sont un peu cryptiques, mais j'en ai trouvé qui prouvent tout de même qu'il a traversé des moments plus difficiles. Un exemple ? Le 30 juin : *Un ticket de stationnement en me levant ce matin. Je crois que je viens de toucher le fond.* Ou alors celui du 9 juillet : *Quand ça va mal, c'est cool de pouvoir compter sur*

ses amis pour te remonter le moral. Merci, Thomas Raby.

5. J'ai passé près d'une heure à analyser chaque commentaire, chaque message publié sur son mur et chaque photo où il a été identifié, mais rien ne semble suggérer qu'il sorte officiellement avec une autre fille.

Passons aux mauvaises nouvelles, maintenant :

1. Ses statuts sont beaucoup plus joyeux depuis deux semaines et ça me gosse. Voici un exemple du 4 août : *Journée débile passée avec des gens que j'aime !* Un autre, le 11 août : *Merci à mes amies qui sont toujours là pour me faire rire et m'appeler « babe » quand j'en ai besoin !* » QUELLES AMIES ??? QUI L'APPELLE *BABE* ???

2. Il a de nouvelles amies Facebook que je ne connais pas et qui ne ressemblent malheureusement pas à des caniches mouillés. La plus gossante s'appelle Emmy. Au lieu d'écrire son nom au complet, elle se surnomme « Emmy DaQueen ». Donc elle se prend pour une reine, et ça me gosse, car elle n'arrête pas de commenter les photos de JP. Genre « *ur so cute !* » ou « *such a cutiepie* ». Soyons honnête, Léa : si cette fille est originaire de notre trou perdu, elle n'est certainement pas anglophone, alors pourquoi se donne-t-elle un style en écrivant en anglais ? Comble du malheur, j'ai vu qu'elle avait écrit ça

sous une photo de JP et Seb : *troue friendship*. Tu sais comme moi qu'il n'y a qu'une seule autre nouille capable d'écrire *true* comme ça, et c'est Sarah Beaupré. Cet indice me porte à croire qu'Emmy la reine des cruches est la *best* de Sarah la dinde teintée, et tu connais mon mantra à propos de ça : les amies de mes ennemies sont aussi mes ennemies. Grrr.

3. Sa vie a l'air plus palpitante que la mienne, et je suis jalouse. Je ne suis vraiment pas d'humeur à faire la fête en ce moment et le fait que JP soit toujours occupé me porte à croire qu'il va mieux que moi.

Il n'y avait aucune photo du party auquel Yannick faisait allusion, mais si je me fie à son profil, je me doute bien qu'Emmy est la fille louche dont il est question. Je me suis évidemment empressée d'espionner sa page Facebook à elle aussi, mais presque tout est en mode privé, alors je n'ai pas eu accès à grand-chose.

Évidemment, ça me fait capoter de l'imaginer avec elle. J'ai donc besoin de toi pour m'aider à me ressaisir et me mentir en me répétant que tout est faux et je ne vais pas mourir de tristesse.

J'attends de tes nouvelles !
MariLoser (pas pire hein ? Une chance que Sarah n'est pas assez lumière pour avoir pensé à ce surnom-là !)

Jeudi 20 août

18 h 12

Léa (en ligne): Tiens, un revenant!

18 h 12

Félix (en ligne): Ouais... J'ai vu que les parents m'avaient écrit cent trente fois depuis la semaine dernière, alors je me suis dit que c'était le temps de leur donner signe de vie.

18 h 12

Léa (en ligne): Bonne idée! En passant, est-ce que tu comptes toujours rentrer de voyage en fin de semaine ou est-ce que t'as décidé de te marier et de refaire ta vie en Europe?

18 h 13

Félix (en ligne): Ma session recommence lundi, alors je n'ai pas le choix de rentrer. Mais ce n'est pas de gaieté de cœur.

18 h 13

Léa (en ligne): En tout cas, ça fait vraiment chaud au cœur de voir à quel point tu t'ennuies de nous et que tu as hâte de nous revoir.

18 h 13

Félix (en ligne): Ce n'est pas ça que je voulais dire... C'est juste que je capote de devoir me séparer de Laure.

18 h 14

Léa (en ligne): J'en déduis qu'elle est vraiment venue te retrouver à Prague?

18 h 14

Félix (en ligne): Oui. Et c'est tellement romantique comme ville. On dirait qu'on est dans un film.

18 h 14

Léa (en ligne): Sérieux, j'ai de la misère à te reconnaître, en ce moment.

Félix (en ligne): Tu n'es pas la seule; les gars ont fait la même remarque, hier soir. Ils disent qu'ils s'attendaient à ce que je brise des cœurs dans chaque pays, et que c'est le monde à l'envers.

18 h 15

Léa (en ligne): Ils n'ont pas tort... mais j'en déduis que, comme tu dois rentrer au Québec, tu vas terminer ça avec elle?

18 h 15

Félix (en ligne): T'es folle! Pas question que je la laisse filer.

18 h 15

Léa (en ligne): Hum, alors quel est ton plan, Roméo?

18 h 15

Félix (en ligne): Je l'ai invitée à célébrer Noël chez nous, et si tout va bien, j'irai passer quelques mois à Paris, après le cégep.

Léa (en ligne): Ben là! Tu vas vraiment retarder ton entrée à l'université pour une fille?

18 h 16

Félix (en ligne): Premièrement, je n'ai pas encore fait mon inscription pour l'an prochain et il n'y a rien de mal à prendre une petite pause avant de poursuivre mes études. Deuxièmement, t'es mal placée pour me juger, car aux dernières nouvelles, tes aspirations cégépiennes se résumaient au macramé. Troisièmement, Laure n'est pas juste «une fille». Elle est extraordinaire et elle vaut tous les sacrifices du monde.

18 h 17

Léa (en ligne): Si elle est si géniale que ça, pourquoi ne vient-elle pas à Montréal, elle?

18 h 17

Félix (en ligne): Parce qu'elle doit finir sa thèse et qu'elle en a encore pour presque deux ans. Mais bon, je te raconterai tout ça dimanche quand je serai en ville. En passant, tu seras contente d'apprendre que Zack va rester avec nous quelques jours, car ses parents sont en vacances et qu'il a perdu ses clés.

Léa (en ligne): Du moment qu'il ne touche pas à mes affaires et qu'il ne se mêle pas de mon alimentation.

18 h 18

Félix (en ligne): Es-tu en train de me dire que tu n'es pas fâchée de voir Zack débarquer à la maison? Léa... Est-ce que tu t'ennuies TELLEMENT de moi que tu es prête à endurer mes amis granos?

18 h 18

Léa (en ligne): Calme-toi le pompon, chose. Je dis juste que s'il n'envahit pas mon espace, on devrait être capable de cohabiter sans que ça tourne trop mal.

18 h 19

Félix (en ligne): Pff. Avoue-le donc que la vie est plate sans moi.

18 h 19

Léa (en ligne): Tellement pas!

18 h 19

Félix (en ligne): Mets-tu des X sur ton calendrier ?

18 h 19

Léa (en ligne): Tu m'énerves.

18 h 20

Félix (en ligne): Tu vas me faire croire que mon absence n'a créé aucun vide dans ta vie ?

18 h 20

Léa (en ligne): Je me contenterai de dire deux choses: premièrement, c'est un peu plate de jouer à la console toute seule et je crois que ton retour me permettra de te prouver que je me suis vraiment améliorée au hockey (je sais, c'est étonnant). Deuxièmement, ta présence me soulagera d'un poids, car c'est rendu que j'ai peur d'aller dans le salon et d'y croiser papa. Il s'ennuie tellement de toi qu'il compense avec moi ! Depuis que t'es parti, on a regardé dix reportages sur Historia, on a joué à trois jeux de société différents et il m'a fait la lecture de quatre articles scientifiques.

Félix (en ligne): Ha, ha! Je suis content de tenir enfin ma vengeance!

Léa (en ligne): De quoi tu parles?

Félix (en ligne): Quand t'es partie à ton camp de moumounes l'été passé, papa m'a forcé à passer toute une fin de semaine avec lui pour me taper ses grands classiques du cinéma français, dont trois longs métrages en noir et blanc.

Léa (en ligne): Tu ne m'avais jamais dit ça! Félix, jure-moi que tu vas être un Tanguy et que tu ne quitteras pas le nid familial avant tes trente ans! Je pense que le paternel ne s'en remettrait pas si tu allais vivre en appartement.

18 h 22

Félix (en ligne): Je ne sais pas si je vais me rendre jusqu'à trente ans, mais tu n'as pas d'inquiétude à te faire pour l'instant; j'ai brûlé toutes mes économies en voyage, alors tu seras encore pognée avec moi pendant un bout.

18 h 23

Léa (en ligne): Cool! (Je dis ça pour papa, pas pour moi.)

18 h 23

Félix (en ligne): Ouais, c'est ça! En tout cas, essaie de retenir tes larmes quand tu viendras me chercher à l'aéroport.

18 h 23

Léa (en ligne): Je vais faire mon possible. À bientôt!

18 h 24

Félix (en ligne): À dimanche, la sœur! xx

À : Marilou33@mail.com
De : Léa_jaime@mail.com
Date : Samedi 22 août, 21 h 23
Objet : Léa au teint vert

Coucou !

J'espère que tu vas bien et que notre conversation d'une heure t'a aidée à réaliser que ça ne sert à rien de capoter ni de t'imaginer un amour torride entre Emmy, la nouvelle reine des cruches, et JP. Si ma relation avec Thomas m'a appris un truc, c'est que peu importe qui casse ou qui a fait quoi, quand on s'aime, la séparation est difficile pour les deux. Bref, je ne crois pas que JP passe ses journées et ses nuits à avoir du *fun*. Je pense au contraire qu'il essaie de noyer sa peine dans une piscine de nouilles en organisant des activités vides de sens. Est-ce que c'est clair ?

Je sais aussi que comme JP ne fréquente plus ton école, tu appréhendes beaucoup la rentrée, mais n'oublie pas que nous sommes des FINISSANTS, et que cette année s'annonce inoubliable ! Il faut donc que tu profites de chaque instant sans te morfondre à cause de lui, OK ?

Comme tu voulais aussi que je te raconte ma « super » journée à La Ronde, je me lance tout de suite dans mon récit. *Avertissement : les lignes qui suivent contiennent des scènes un peu dégoûtantes. Cœurs sensibles s'abstenir.*

Hier midi, Olivier est venu me rejoindre chez moi.

Moi (en ouvrant la porte, les cheveux encore mouillés) : Hey ! Salut ! Je suis un peu en retard dans mon horaire. Est-ce que tu vas me pardonner si je te laisse seul avec mon père le temps que je me coiffe ?

Olivier (en souriant) : Je pense que je te dois au moins ça. Après tout, tu as dû te taper les allusions pour le moins... croches de mes parents.

Mon père (en s'approchant et en tendant la main à Oli) : Bonjour, Olivier ! Viens t'asseoir, un peu ! Ça va nous permettre de discuter.

Moi (en secouant la tête) : Désolée. Il manque d'attention masculine depuis que Félix est parti.

Mon père : Pff. Pas du tout ! J'ai juste envie de profiter de sa présence pour bavarder à propos de l'actualité.

Ma mère (en volant à la rescousse d'Oli) : Veux-tu bien le laisser tranquille ! Il est à peine dix heures ! Léa, va te préparer. Je m'occupe de ton chum.

J'ai esquissé un sourire reconnaissant et je suis montée à ma chambre. J'ai essayé de maîtriser mes cheveux pendant plusieurs minutes, mais sans succès. J'ai donc opté pour le bon vieux chignon en haut de la tête. Comme il faisait un peu frais, j'ai enfilé mes jeans préférés et le chandail à capuchon que tu m'as prêté orné d'un grand « M » et je suis descendue en vitesse.

Moi : OK, je suis prête ! Il faut y aller, sinon Kath et Jeanne vont nous attendre au métro.

Mon père : Es-tu sûre que vous ne voulez pas que je vous conduise jusqu'à La Ronde ? Ça nous permettra de terminer notre discussion à propos du conflit en Syrie.

Ma mère (en me faisant de gros yeux) : Désolée, j'ai fait mon possible...

Moi : Euh... C'est gentil, papa, mais les filles m'attendent et je ne veux pas leur faire faux-bond.

Ma mère : Mais Léa, tu n'as même pas déjeuné ! Prends au moins une banane et une barre tendre avant de partir.

Moi : Non, c'est correct. Je m'achèterai quelque chose là-bas.

Note de l'auteure : si je pouvais revenir en arrière, j'aurais englouti les aliments santé que me tendait ma mère.

On a rejoint les filles quinze minutes plus tard et on s'est tous rendus sur l'île Sainte-Hélène.

Une fois sur place, Kath a pointé le Monstre du doigt.

Katherine : Je suis prête ! Quelqu'un veut y aller avec moi ?

Oli : Moi ! J'ai tellement hâte d'embarquer dans le manège le plus effrayant du monde.

Katherine : Euh... Ben, il me semble que ce serait mieux que tu le fasses avec Léa, non ?

Moi (en la regardant d'un drôle d'air) : Pourquoi ?

Katherine : Parce que c'est *full* épeurant, comme manège.

Moi : Je vais passer mon tour pour le moment. J'ai trop faim.

Olivier (en se bombant le torse) : Allez, Kath ! T'as besoin d'un homme fort pour te protéger.

Katherine : Bon, OK.

Ils sont allés se mettre en file et Jeanne et moi nous sommes dirigées vers le casse-croûte.

Moi : Pourquoi est-ce que Katherine est bizarre avec Oli ?

Jeanne (d'un air distrait) : Hum ? Je n'ai pas trop remarqué.

Moi : Ben là. C'est à peine si elle lui a adressé la parole dans le métro, et ça paraissait qu'elle n'avait pas le goût de faire le Monstre avec lui. Sais-tu s'il s'est passé quelque chose ?

Jeanne : Non. Aux dernières nouvelles, ils s'entendaient bien.

Moi : Je dirais même qu'ils étaient inséparables. C'est pour ça que je trouve ça bizarre. C'est un peu comme si je devenais super froide avec Alex.

Jeanne : Tu capotes, Léa. Elle a sûrement agi comme ça parce qu'elle ne veut pas s'interposer entre vous.

Moi (d'un ton peu convaincu) : Peut-être.

Jeanne : Ou peut-être qu'elle se sent un peu seule, et que c'est pire quand elle passe du temps avec un couple.

Moi : Ouais. C'est vrai que je la sens un peu déprimée depuis son histoire ratée avec James. Je lui souhaite sincèrement de retomber en amour avec un bon gars.

Jeanne : Moi, je pense qu'elle ferait mieux d'être bien toute seule avant de se rembarquer avec quelqu'un.

Moi : Évidemment ; toi, t'es la reine des indépendantes !

Jeanne a ri et a commandé un Coke. J'ai quant à moi opté pour le trio poutine, pogo et liqueur.

Note de l'auteure : j'en suis venue à regretter amèrement ce choix alimentaire douteux.

Après avoir englouti mon déjeuner « santé » en moins de trois secondes, j'ai pris Jeanne par la main pour l'attirer vers le Démon.

Moi : OK ! Là, je me sens d'attaque pour essayer le nouveau manège.

Jeanne : T'es sûre que tu ne veux pas commencer par quelque chose de plus relaxe ? Genre les Joyeux Moussaillons ?

Moi : C'est pas les bateaux pour enfants, ça ?

Jeanne : Ouais. Me semble que ça te donnerait le temps de digérer un peu.

Moi : Pff. Pas besoin. Je me sens *top shape !* Allez, viens ! On a juste à texter Kath et Oli pour les avertir.

Nous avons attendu une dizaine de minutes avant de pouvoir embarquer à bord du fameux manège. Pour te donner une idée, le Démon ressemble à un gros vaisseau rouge qui tourne dans tous les sens pour créer des sensations fortes.

Au début, je tripais vraiment, et l'adrénaline me faisait rire et crier à pleins poumons. Mais peu à peu, les choses ont commencé à se gâter.

J'ai d'abord senti un pincement dans mon estomac suivi d'un haut-le-cœur. Je me suis alors concentrée très fort pour penser à autre chose.

« Pense à de la glace froide. Ou à un vent polaire. Ou alors à un seau d'eau qui se renverse sur la tête de Maude. Imagine-toi assise sur le sofa en train de regarder la télé sans que rien ne tourne. Arg. Ça ne marche pas ! Pourquoi est-ce que ce maudit vaisseau n'arrête pas de tourner ? Si je n'avais pas mangé comme un porc, aussi. C't'idée d'engloutir une poutine ET un pogo en moins de deux minutes. Beurk. Pogo. Poutine. J'AI MAL AU CŒURRRRRR. »

Le manège s'est finalement immobilisé et je suis sortie de là en vacillant. Katherine et Olivier nous ont rejoints, le sourire aux lèvres.

Jeanne : Cool ! Vous nous avez retrouvés !

Katherine : Ouais. J'ai reçu ton SMS. Alors, c'était comment ?

Jeanne : Débile ! Pas vrai, Léa ?

Olivier (en me regardant d'un air inquiet) : Ça va, Poussin ?

Katherine (en chuchotant aux deux autres) : Elle n'a pas l'air de filer. Elle est aussi verte que le pont Jacques-Cartier.

Olivier : Léa ?

J'ai essayé de les rassurer, mais dès que j'ai ouvert la bouche, j'ai senti que ça n'allait pas. J'ai commencé à vomir, puis j'ai couru jusqu'à la poubelle la plus proche. Je te passe les détails, mais disons que mon malaise était tellement intense qu'il a fait basculer mon torse dans le panier à ordures et que ton chandail à capuche était une perte totale.

Jeanne (derrière moi) : Bouge pas Léa, je vais aller te chercher de l'eau.

Olivier (en s'approchant de moi) : Ça va ?

Moi (en secouant la tête) : Non. Recule ! Je. Suis. Trop. Dégueue.

Katherine (plus fort): Moi, comme je n'ai aucune tolérance pour le vomi, je te *luv* et te soutiens de loin, OK?

Jeanne est revenue en me tendant une bouteille d'eau, puis elle s'est assise près de moi. Elle m'a fait prendre de grandes respirations, et j'ai fini par me sentir un peu mieux.

Moi: Je commence à reprendre mes sens, je pense.
Jeanne (en me souriant): Ouais. Tu ressembles de moins en moins à un avocat. C'est bon signe.

J'ai expiré à pleins poumons et j'ai regardé autour de moi. Même si je savais que je n'étais pas la première à être malade à La Ronde, mes simagrées avaient tout de même attiré l'attention d'une dizaine de curieux. J'ai secoué la tête, honteuse. J'ai ensuite aperçu Katherine et Olivier assis un peu plus loin. Je pouvais lire de la sympathie et de la pitié dans leurs yeux.

Moi: Je... Je ne veux pas qu'Oli approche. J'ai trop honte et je sens le pogo pas frais.
Jeanne (en souriant): Mais non. Juste la poutine pourrie.
Moi (en baissant les yeux): Ark. Je vais faire fuir toute l'île de Montréal si je reste habillée comme ça.
Jeanne: J'ai un chandail dans mon sac. On va aller aux toilettes pour que tu te changes.

Moi : Mais ça me fait tellement de peine d'avoir ruiné celui-là. Il avait une valeur sentimentale.

Jeanne : Tu peux toujours essayer de le laver...

Moi : Ark, non. Juste l'idée de le trimballer dans mon sac me redonne la nausée.

Jeanne : Si ça peut t'aider, dis-toi que quand je l'ai vu, je me suis demandé si ce n'était pas en l'honneur de Maude.

Moi : NON !

Jeanne : Hum. Marianne, alors ?

Moi (en riant) : AH ! Non plus ! Le M, c'est pour Marilou ! Mais tes doutes vont m'aider à faire mes adieux !

Je me suis relevée de peine et de misère et j'ai suivi Jeanne jusqu'aux toilettes publiques. Après m'être changée et nettoyée, j'ai réalisé que je ne me sentais toujours pas d'attaque pour continuer.

Moi (en rejoignant les autres) : Je pense que je vais rentrer.

Jeanne : Je vais te raccompagner.

Moi : Non ! Vous avez payé pour la journée, alors profitez-en.

Jeanne : Je ne vais pas te laisser rentrer seule, Léa.

Olivier : Je vais partir avec elle. C'est mon rôle de chum, non ?

Moi (en regardant le sol) : Euh... Je pense que je préfère que tu restes ici, Oli. J'ai comme trop honte pour te regarder dans les yeux, en ce moment.

Olivier (en s'approchant de moi et en essayant de me prendre dans ses bras) : Ben voyons, Léa ! Ça arrive à tout le monde, ce genre de truc !

Katherine : C'est vrai, ça. Quand j'étais plus jeune, j'ai mangé une frite sauce à l'aréna et...

Moi : Pas d'histoires dégoûtantes, s'il vous plaît. J'ai encore le cœur sensible. Pour vrai, je tiens vraiment à ce que vous restiez. Je me sentirais trop coupable de gâcher le reste de votre journée.

Jeanne : J'insiste pour rentrer avec toi. J'ai plus trop le cœur à faire des manèges, de toute façon.

Moi : Merci, Jeanne. J'ai une dette envers toi jusqu'à ma majorité.

Jeanne a ri et m'a prise par le bras.

Jeanne : Allez, vomi ambulant. On rentre.

Olivier : Est-ce que je peux au moins embrasser la grande malade avant son départ ?

Moi (en faisant la grimace) : Non, je me sens trop dégueulasse. Mais je te promets de me reprendre.

Jeanne (en leur faisant un signe de la main) : On se parle plus tard ! Amusez-vous bien !

Jeanne m'a raccompagnée chez moi, et je suis enfermée dans ma chambre depuis hier. J'ai tellement honte que je n'ose même pas rappeler Olivier. Je devrai malheureusement sortir de ma tanière demain à l'aube, car j'ai l'obligation d'aller servir des beignes (beurk) à des clients qui ont l'air bête, mais d'ici là, je continue mon isolement social.

En passant, je suis vraiment désolée d'avoir dû jeter ton chandail (crois-moi, il était irrécupérable). Je me sens super coupable. Dis-moi où je peux en trouver un autre, et je le remplacerai sans faute !

Léa xox

📱 23-08 20 h 09

Kath? Je voulais juste m'assurer que tout s'était bien passé avec Oli, vendredi. J'imagine que ça n'a pas dû être facile de te ramasser seule avec lui, mais je me sentais trop mal pour Léa. Jeanne xx

📱 23-08 20 h 10

Salut! C'est gentil de te préoccuper de ma santé mentale! ;) Honnêtement, on a eu beaucoup du *fun* ensemble. J'ai évité d'aborder des sujets délicats et j'ai ri comme j'avais l'habitude de le faire avec lui.

📱 23-08 20 h 11

Dis-toi que c'est un bon exercice. Après tout, tu auras à le fréquenter tous les jours une fois que l'école aura recommencé...

📱 23-08 20 h 11

Je sais. Et connaissant ma chance, je vais sûrement me retrouver dans la même classe que lui! ;)

📱 23-08 20 h 12

....

T'en fais pas, tout ira bien! Je t'appelle cette semaine pour qu'on s'organise une sortie avant la rentrée! Xx

📱 23-08 20 h 12

....

Super! *Luv!* xox

Lundi 24 août

Olivier (en ligne): Sais-tu que j'ai essayé de te joindre mille fois depuis vendredi ?

15 h 42

Léa (en ligne): JE M'EXCUSE !!! Je sais que je suis poche d'avoir ignoré tes appels et tes SMS, mais j'avais espoir que le temps, le déni et l'absence fassent disparaître le souvenir de mon... indigestion.

15 h 42

Olivier (en ligne): Léa, t'as été malade ! Ce n'est pas la fin du monde.

15 h 42

Léa (en ligne): Je ne suis pas du même avis. Ça ne fait pas si longtemps que ça qu'on sort ensemble, et j'aurais préféré que tu me voies toujours sous mon meilleur jour.

15 h 43

Olivier (en ligne): Moi, je te trouve *cute*, peu importe le contexte.

15 h 43

Léa (en ligne): Je rougis derrière mon écran. ☺

15 h 43

Olivier (en ligne): Tu te sens mieux, au moins?

15 h 44

Léa (en ligne): Physiquement, oui. Mentalement, j'en ai encore pour quelques années à m'en remettre.

15 h 44

Olivier (en ligne): Est-ce que j'aurai la chance de te voir d'ici là, question d'accélérer le processus?

15 h 44

Léa (en ligne): Ce serait vraiment cool! Comme Félix est rentré hier, j'ai dû passer un peu de temps en famille, mais avec son ami Zack qui nous parasite et qui a une nouvelle passion pour l'encens qui pue, je sens que je vais bientôt avoir besoin de fuir la maison!

15 h 46

Olivier (en ligne): Je te comprends! Et ta semaine de travail ressemble à quoi?

15 h 46

Léa (en ligne): Intense! Comme l'école recommence dans quelques jours, j'en profite pour faire un *blitz* final, mais jeudi, je finis à midi! ☺

15 h 46

Olivier (en ligne): Ça tombe bien! Le camp de jour est terminé, alors je n'ai plus rien à faire de mes journées! Je pourrais te rejoindre directement au restaurant, si tu veux.

15 h 47

Léa (en ligne): Hum... Merci, mais non merci. J'ai eu mon lot de moments honteux pour la semaine. Pourquoi on ne se rejoindrait pas plutôt au cinéma? J'ai vraiment le goût de voir le dernier film d'Ashton Kutcher.

15 h 47

Olivier (en ligne): Si tu me proposes autre chose qu'un film de filles, ça va être difficile de refuser!

15 h 48

Léa (en ligne): Super. On se voit jeudi, alors!

15 h 49

Olivier (en ligne): Je t'aime, Poussin vert.

15 h 49

Léa (en ligne): Et moi, je vais t'aimer encore plus si tu me JURES de ne jamais m'appeler comme ça en public!

15 h 50

Olivier (en ligne): Ha, ha! Je vais essayer!;)

15 h 50

Léa (en ligne): ☺ À jeudi! xox

À : Léa_jaime@mail.com
De : Marilou33@mail.com
Date : Mercredi 26 août, 16 h 21
Objet : Party de cruches

Salut, Poussin vert ! (Je n'en reviens toujours pas qu'Oli t'ait appelée comme ça ! Je ris toute seule depuis que tu me l'as dit ! Ha, ha, ha !) J'espère que tu t'es enfin remise de tes émotions. Comme je te l'ai expliqué sur Skype, je me fiche du chandail, alors pas besoin de le remplacer. Ce que je veux, c'est que tu sortes de ta torpeur ! Quand on pense à tout ce que tu as surmonté au cours des dernières années (le surnom *tomato*, les attaques incessantes des nunuches, les rumeurs, l'agression par interphone, l'épisode de l'écureuil rôti, la honte avec Adam, la trahison de Thomas avec Sarah BelleCruche, la tourista en voyage, ta meilleure amie qui trompe son chum avec ton frère et j'en passe), on s'entend que ce n'est pas une petite attaque gastrique dans une poubelle de La Ronde qui va détruire ta vie. Aimes-tu ça quand je remets les choses en perspective ? ;)

Quant à moi, j'ai commencé hier soir à essayer de profiter pleinement de ma dernière vraie semaine de vacances en assistant au party que Paule avait organisé chez elle avec ses amis et la gang de sauveteurs pour souligner la fermeture officielle de la piscine et la fin imminente de l'été. D'un côté, j'étais contente de célébrer avec tout le monde, d'autant plus que je ne crois pas les revoir souvent pendant l'année scolaire, mais d'un autre, j'étais un peu nerveuse à l'idée de me retrouver avec elle et sa cousine, qui est *best* avec Odile, qui connaît Emmy-la-harpie (je sais, c'est compliqué, mon affaire).

Pour l'occasion, j'avais décidé d'enfiler ma robe verte, que tu aimes tant, et mes Converse. Ça me donnait un style «*cute*, mais relaxe». Je me suis aussi arrangée pour que Yannick m'accompagne à la fête, question de me donner un peu de contenance. Dès que nous sommes entrés dans la maison, Paule est venue nous accueillir et nous a invités à nous rendre dans la cour.

Paule : J'ai une piscine, si jamais ça vous tente.
Yannick : Merci, mais je vais prendre une pause de chlore pour la soirée. Sinon, j'ai peur que ma peau se décompose !

J'ai souri en jetant un coup d'œil autour de moi. Pas de signe d'Odile.

Paule : Ça va, Lou ? T'as l'air nerveuse !
Moi : Hein ? Oh, non, non. Je suis juste fatiguée.
Paule : T'es sûre que ce n'est pas ton ex qui te met dans cet état-là ?
Moi (en regardant partout d'un air légèrement hystérique) : Hein ? JP est ici ?

Paule : Non ! Mais Yannick m'a dit qu'il t'avait raconté que je l'avais vu dans un party et que ça t'avait mise à l'envers.

Moi (en me calmant) : Ouin. Ce n'est jamais génial d'entendre que ton ex est en train de développer quelque chose avec une autre.

Paule : Si ça peut te rassurer, je n'ai rien vu de compromettant. C'est l'amie de ma cousine qui nous a raconté qu'une de ses copines lui tournait autour.

Moi : L'amie de ta cousine s'appelle Odile, c'est ça ?

Paule : Ouais. Et sa copine qui tripait sur ton ex avait un nom peu commun...

Moi : Emmy ?

Paule : Non.

Moi (surprise) : T'es sûre ?

Paule : Certaine. Je connais Emmy, et je sais qu'elle sort avec Ludovic.

Ludo, je ne te connais pas, mais je t'aime déjà.

Paule : C'était un nom plus bizarre que ça. Ça ressemble à Gérard...

Moi : Géraldine ?

Paule (en claquant des doigts) : Bingo !

Ark ! JP ET GÉRALDINE ? Ça n'avait aucun sens dans mon esprit.

Moi (d'un ton suspicieux) : Dis-moi, Paule, est-ce qu'Odile sait qu'on travaille ensemble, toi et moi ?

Paule : Oui. Elle nous a vues de loin à la piscine au début de l'été. Pour être bien honnête, elle m'a avoué qu'elle ne te portait pas dans son cœur, mais ne t'en fais pas, je ne partage pas son opinion. Je te trouve vraiment cool, comme fille.

Moi : Merci.

Paule s'est excusée et elle est allée accueillir d'autres amis. J'en ai profité pour m'asseoir et tenter de résoudre cette histoire.

Je me doutais bien que Sarah m'en voulait encore d'avoir exposé sa petite culotte lors de la représentation de théâtre au printemps dernier et qu'Odile avait sûrement envie de m'arracher la tête depuis que je l'avais poussée et humiliée devant toute l'école. Les connaissant, elles cherchaient certainement à se venger.

Comme Odile, la dinde teintée, s'est rendu compte que je travaillais avec Paule, elle pouvait facilement s'arranger pour me faire savoir que mon ex « fréquentait une autre fille ». Après tout, elle savait que JP était mon point faible et que j'allais paniquer en l'imaginant avec une autre.

Son plan aurait probablement fonctionné jusqu'au bout si elle n'avait pas dit que sa nouvelle flamme s'appelait Géraldine. La vérité, c'est que je connais assez Jean-Philippe pour savoir qu'il ne fréquenterait JAMAIS cette fille.

C'est cette nouvelle information qui m'a fait réaliser que mes nunuches préférées avaient inventé l'histoire de toutes pièces pour me faire du mal. D'un côté, je me suis sentie extrêmement soulagée de savoir qu'Emmy ne représentait pas une vraie menace et que JP était possiblement encore célibataire, mais d'un autre, je ne pouvais m'empêcher d'éprouver de la frustration face à tout ça. Moi qui croyais vraiment être débarrassée de Sarah et de sa gang pour le restant de mes jours, je réalisais qu'elles avaient la mémoire longue et que je n'étais probablement pas encore au bout de mes peines.

Yannick m'a rejointe quelques instants plus tard pour me tirer vers la piste de danse.

Yannick : Sors de la lune et viens bouger avec moi ! Faut célébrer, Lou ! C'est fini, les journées à siffler après des enfants désobéissants !
Moi (en le suivant) : Je sais, mais ça veut aussi dire qu'on ne se verra plus aussi souvent.
Yannick (en se tournant vers moi d'un air découragé) : Ben là ! On habite un village gros comme ma poche !

Ce n'est pas parce que je vais au cégep à vingt-cinq minutes d'ici qu'on va se perdre de vue.

Moi (en m'efforçant de sourire) : T'as raison.

Yannick (en me chatouillant) : Allez ! Lâche ton air dépressif et ris, un peu !

Je me suis tortillée en riant aux éclats.

Moi (en essayant de me défaire de son étreinte) : OK ! OK ! Je te promets de changer mon air de bœuf !

Yannick (en m'embrassant sur le front) : Merci, chérie !

Mon regard s'est alors tourné vers la cour, et mon cœur s'est arrêté de battre. JP était là, posté de l'autre côté de la porte-fenêtre, et il nous regardait d'un drôle d'air. Oh, non ! Il devait s'imaginer qu'il y avait quelque chose entre Yannick et moi !

Moi : J'ai une urgence. Je reviens, Yan.

Je me suis précipitée à l'extérieur, mais JP semblait s'être volatilisé. J'ai aperçu Odile, Seb et Sarah un peu plus loin.

Moi (en me postant devant eux) : Seb, as-tu vu JP ?

Seb (en écarquillant les yeux) : Marilou ? Salut ! Je ne m'attendais pas à te voir ici !

Odile : Moi oui. Ça pue depuis qu'on est arrivés.

Moi (en l'ignorant et en haussant le ton) : *SEB*, as-tu vu JP ?

Seb : Euh, il était ici il y a trois minutes.

Odile (en me regardant d'un air mesquin) : Il a sûrement rejoint Géraldine quelque part.

Sarah (en souriant d'un air machiavélique) : C'est vrai qu'ils sont vraiment inséparables, ces temps-ci.

Moi : C'est beau, les cruches. Vous pouvez laisser tomber les fausses rumeurs. Je sais pertinemment que JP a assez de jugement pour éviter de sortir avec une folle aux cheveux teints.

J'ai tourné les talons avant qu'elles ne puissent répliquer quoi que ce soit. J'ai rapidement fait le tour de la maison, et j'ai finalement aperçu mon ex près de la porte d'entrée. Il s'apprêtait déjà à partir.

Moi : JP ! Attends !

Il s'est retourné, surpris.

Moi (en m'approchant de lui, les mains tremblotantes et le cœur en compote) : Sa... Salut. Comment ça va ?

JP : Salut. Je ne pourrai pas te parler longtemps, Lou. Thomas est venu me chercher et il m'attend dehors.

Le fait de le voir, d'écouter sa voix et de l'entendre dire « Lou » m'a littéralement fait fondre.

Moi : Tu viens pas juste d'arriver ?

JP : Oui, mais j'ai autre chose à faire.

Moi : Je comprends, mais donne-moi deux petites minutes pour prendre de tes nouvelles ! Comment vas-tu ?

JP : Pas pire. Toi ?

Horrible. Dégueulasse. Je me sens comme une larve depuis qu'on a cassé.

Moi : Correct. Mais je suis vraiment contente de te voir.

JP (en consultant son iPhone d'un air nerveux) : Moi aussi, mais il faut vraiment que je file.

Moi : Avant que tu partes, je voulais juste clarifier quelque chose.

JP : Quoi, ça ?

Moi : Je sais que tu m'as vue déconner avec Yannick, mais je ne voudrais surtout pas que tu t'imagines des affaires. C'est un ami, c'est tout.

JP : Je sais.

Moi : C... Comment ça, tu sais ?

JP : Géraldine m'a dit que Paule lui avait dit que Yannick était gai.

Moi : Ah... Je... Ben oui.

JP : Bon, ben, bonne soirée !

Il s'apprêtait à sortir. Je devais faire vite.

Moi (sans réfléchir) : Pourquoi tu m'as regardée comme ça si ce n'était pas à cause de lui ?

JP : Hein ?

Moi : Tantôt. Quand tu étais dans la cour. Je t'ai surpris en train de me regarder, et t'avais l'air... bizarre.

JP : C'est la première fois que je te vois depuis deux mois, Lou. C'est un peu normal que ça me bouleverse.

Moi : Ça m'a fait un choc aussi. Surtout que t'es encore plus beau qu'avant.

C'était sorti tout seul. Je savais qu'il allait partir d'une seconde à l'autre, et que je n'avais plus le temps de filtrer mes paroles.

JP (en souriant) : Merci.

Moi : Et le cégep ?

JP : J'ai commencé cette semaine. Ça se passe bien.

Moi : En tout cas, ça va être bizarre de ne pas te voir à la rentrée.

JP : Je pense que ce n'est peut-être pas une mauvaise chose.

Je n'ai pu m'empêcher de grimacer.

JP : Je... Je me suis mal exprimé. Je ne disais pas ça parce que... Ce que je veux dire c'est que...

Moi : Je pense que je comprends. J'aurais aussi de la misère à me concentrer si t'étais toujours dans les parages.

JP : Exact.

La sonnerie de son cellulaire a retenti.

JP (en me regardant d'un air désolé) : Faut vraiment que j'y aille.
Moi : OK. J'espère qu'on se reverra bientôt.
JP (en ouvrant la porte) : Moi aussi. Prends soin de toi, Marilou.

Il est sorti de la maison sans se retourner, et j'ai vécu une sorte d'épiphanie. Je savais que j'avais blessé JP, et j'étais consciente qu'il devait encore m'en vouloir de l'avoir trahi, mais je réalisais à quel point je l'aimais encore.
Il ne s'agit pas de nostalgie ni de blessure mal cicatrisée ; c'est vraiment de l'amour, Léa ! Je n'arrive pas à m'imaginer avec personne d'autre que lui.

Je ne sais pas trop encore ce que je vais faire avec tout ça, mais une chose est certaine : ce ne sont certainement pas les dindons teintés qui m'empêcheront d'être honnête envers moi-même et d'explorer toutes mes possibilités.

J'espère que la cohabitation avec Zack ne se passe pas trop mal. Tu m'écriras pour tout me raconter.

Lou xox

Chapitre 3 :
Rentrée et dernière fournée

Vendredi 28 août

18 h 01

Léa (en ligne): Tu sais que papa s'est trompé tout à l'heure et a confondu Zack avec toi?

18 h 02

Félix (en ligne): C'est quand même mieux que s'il se mélangeait entre lui et toi.

18 h 02

Léa (en ligne): Mais Félix, réalises-tu ce qui se cache derrière ça? Un désir de paternité. Papa a besoin de retrouver son fils, et comme tu es complètement absent depuis ton retour, il est prêt à adopter Zack.

18 h 03

Félix (en ligne): T'exagères. J'ai juste été occupé à l'école. J'ai un horaire dégueu, cette session.

18 h 03

Léa (en ligne): Premièrement, tu commences à 10 h 30 trois fois par semaine, alors t'es mal placé pour te plaindre. Deuxièmement, tu sais comme moi que ce n'est pas l'école qui occupe ton temps, c'est Laure.

18 h 04

Félix (en ligne): Rapport!

18 h 04

Léa (en ligne): *Come on!* Dès que tu rentres de l'école, tu te garroches devant ton ordi et tu restes là jusqu'à ce que l'écran te rende vert. Et le matin, c'est rendu que tu déjeunes devant ton portable au cas où elle se connecterait à Skype.

18 h 05

Félix (en ligne): Ce sont les désagréments de la distance. Mais pourquoi me dis-tu tout ça? Tu t'ennuies de moi?

18 h 05

Léa (en ligne): Non... C'est juste bizarre de te voir comme ça. T'as l'air tellement...

18 h 05

Félix (en ligne): Amoureux?

18 h 06

Léa (en ligne): J'allais dire soumis.

18 h 06

Félix (en ligne): Je ne suis pas soumis pantoute ! Je veux juste me montrer disponible puisqu'elle habite à l'autre bout du monde.

18 h 06

Léa (en ligne): Tu n'as pas besoin de t'empêcher de vivre pour ça. Réalises-tu que tu n'es pas sorti une seule fois depuis que t'es rentré, toi, le roi du party et de la vie sociale trépidante ?

18 h 07

Félix (en ligne): Ma logique est simple: généralement, je sors pour *cruiser* des filles, mais comme je suis en couple et que je n'ai pas la tête à ça, je préfère rester ici. Mais assez parlé de ma vie. Comment ça se passe avec ton bel Oliiiiii ?

18 h 07

Léa (en ligne): Bien.

18 h 07

Félix (en ligne): Pas plus que ça ? C'est louche, ton affaire. La preuve, je ne vous ai même pas vus ensemble depuis que je suis rentré.

Léa (en ligne): Je l'ai vu hier, tu sauras. Et ce n'est pas parce que je sors avec lui que je ne peux pas préserver mon indépendance.

18 h 08

Félix (en ligne): Et tu ne crois pas que ça cache quelque chose?

18 h 09

Léa (en ligne): Oui. Que je suis devenue une personne plus forte.

18 h 09

Félix (en ligne): Ou alors que tu n'es pas *vraiment* amoureuse.

18 h 09

Léa (en ligne): Pff. Parce que selon toi, on doit se transformer en loque humaine pour aimer quelqu'un?

18 h 10

Félix (en ligne): Tu ne t'es pas vue quand tu sortais avec Thomas...

18 h 10

Léa (en ligne) : Et regarde où ça m'a menée ! Mais continue ton hibernation, si ça te rend heureux. La seule chose que je te demande, c'est de gérer Zack. C'est rendu qu'il se promène en bedaine dans le salon !

18 h 10

Félix (en ligne) : C'est parce qu'il n'a plus de linge propre.

18 h 11

Léa (en ligne) : Ark. Peux-tu lui présenter notre laveuse, s'il te plaît ?

18 h 11

Félix (en ligne) : Je vais voir ce que je peux faire.

18 h 11

Léa (en ligne) : OK. Je descends aider les parents à préparer le souper. Tu viendras nous rejoindre quand t'auras fini ton jeûne de l'amour.

📱 30-08 17 h 11

Salut, Rongeur ! Qu'est-ce que tu fais ?

📱 30-08 17 h 12

Après avoir passé la journée chez Jean Coutu et Bureau en Gros, je m'amuse maintenant à identifier mon matériel scolaire. Toi ?

📱 30-08 17 h 12

Tout sauf consulter ma liste scolaire. Ça me déprime tellement de penser à la rentrée.

📱 30-08 17 h 13

Ben là ! Il va ben falloir que tu t'y mettes ; on recommence l'école dans deux jours.

📱 30-08 17 h 13

Ouais, mais j'ai décrété qu'il ne fallait pas faire de trucs plates pendant la fin de semaine de la fête du Travail. C'est pour ça que je t'encourage à déposer ta liste et à te joindre à Jeanne et moi. On va bouffer en ville.

📱 30-08 17 h 14

Tu es une mauvaise influence, Alex.

📱 **30-08 17 h 15**

Ça veut dire oui?

📱 **30-08 17 h 15**

À quelle heure on se rejoint?

📱 **30-08 17 h 16**

Yé! Métro McGill à 18 h 30. Même place que d'habitude!

📱 **30-08 17 h 16**

OK. Si jamais il y a beaucoup de monde, je scruterai la foule à la recherche d'un rebelle aux poils de quenouille.

📱 **30-08 17 h 17**

☺ À tantôt!

À : Marilou33@mail.com
De : Léa_jaime@mail.com
Date : Mardi 1er septembre, 18 h 21
Objet : Adieu, Roi du Beigne !

Coucou !

Alors, est-ce que ton cœur capote encore parce que t'as revu JP ? Comme je te le disais en fin de semaine, je sais que tu as peur qu'il soit trop tard, mais je crois que ça vaut la peine d'en avoir le cœur net, non ?

Au moins, tu as maintenant la confirmation que son histoire louche est complètement bidon. Je n'en reviens toujours pas que Sarah et ses disciples continuent de te tourmenter même si elles sont au cégep. Le collégial, ça ne vient pas avec une certaine part de maturité ?

J'espère au moins que ta rentrée s'est bien passée, et que leur absence te permet de respirer un peu. Es-tu dans la même classe que Laurie et Steph ? Parlant d'elle, comme ça s'est passé au camp ? Est-ce qu'elle est revenue avec un nouveau chum ? Et Laurie, est-elle encore aux prises avec son dilemme identitaire de fille amoureuse versus féministe enragée ?

De mon côté, je n'ai pas pu prendre ça super relaxe hier puisqu'il s'agissait de ma dernière journée au Roi du Beigne. Comme c'était une journée fériée, le restaurant était particulièrement occupé et nous étions trois employés plutôt que deux. À ma grande joie, j'étais jumelée à Chantal – l'employée la plus *vedge* du mois que j'aime d'amour depuis qu'elle a pris ma défense contre les nunuches – et Véronique – celle qui semble être née pour vendre des glacés à la vanille.

Véronique (entre deux clients) : Léa, je suis tellement triste de te perdre.
Moi : Euh. Je reviendrai vous rendre visite, si tu veux.
Véronique (les yeux remplis d'espoir) : Ce serait tellement le *fun* ! On pourrait s'asseoir autour d'un café et papoter. Après tout, ce n'est pas parce qu'on te perd comme employée qu'on doit couper le lien d'amitié qui nous unit.

Comme nos discussions des deux derniers mois se sont limitées à la garniture des trous de beigne, à la confection du glaçage à l'érable et aux métaphores douteuses visant à me comparer à un animal, j'étais un peu surprise qu'elle nous considère comme des *bests*, mais j'ai opté pour un hochement de tête et un sourire qui se voulait sincère.

Moi : Tout à fait d'accord avec toi.
Véronique : Et tu sais quoi, Caliméro ? Je suis fière de toi.
Moi : Hum ? Comment ça ?
Véronique : Quand tu es arrivée ici, tu avais l'air aussi perdue qu'un têtard dans un lac, mais je t'ai vue

progresser au fil des semaines, et t'es devenue... un vrai beau poisson.

J'ai entendu quelqu'un glousser derrière moi.

Véronique : Ris tant que tu veux, Chantal, mais tu sais que j'ai raison.

Chantal : Pas sûre que la petite aime se faire comparer à une truite, championne.

Véronique : Léa sait ce que je veux dire.

Chantal (en se servant une roue de tracteur) : Moi, tout ce que je te souhaite, c'est de te venger des petites niaiseuses qui sont venues t'écœurer l'autre jour.

Véronique : Quoi ? Il y a eu de l'intimidation sur notre lieu de travail ?

Moi : Euh, ce n'était rien, Véro. Juste des filles de mon école qui ne me portent pas dans leur cœur.

Chantal (en se rapprochant tout près de moi et en me regardant droit dans les yeux) : Si jamais t'as besoin d'aide, n'hésite pas à me faire signe.

Elle a mordu dans sa roussette d'un air menaçant.

Moi : OK. Merci, Chantal.

Le reste de la journée a filé à la vitesse de l'éclair, et Alphonse, mon patron que j'ai à peine croisé trois fois au cours de l'été, s'est pointé juste au moment où je poinçonnais ma feuille de temps pour la dernière fois.

Alphonse : Eh ben. C't'une journée ben triste pour le Roi du Beigne. La p'tite Léâ qui nous quitte pou' ses livres.

Moi : Euh, ouais. Ça me fait aussi de la peine de partir.

Alphonse : T'es-tu ben sûre que tu veux pas faire des *shifts part time* ?

Moi : Hein ?

Véronique : Il veut savoir si tu aimerais travailler ici à temps partiel, Caliméro.

Moi : Euh... C'est gentil, mais je n'aurai pas le temps. Avec l'école, le journal étudiant et les inscriptions au cégep, je vais être débordée.

Alphonse : C'correct. Mais sache que la porte est tout le temps ouvarte icitte pour que tu vendes des *donuts*.

Moi : Merci, Alphonse. Je vous ferai signe si jamais j'ai besoin d'un emploi.

Véronique m'a ensuite serrée dans ses bras.

Véronique : *Don't be a stranger !*

Moi (l'air incrédule) : Je... Je m'excuse, je suis vraiment poche en anglais.

Chantal (en me serrant dans ses bras) : Elle te dit de ne pas te gêner pour venir nous voir, la p'tite.

J'ai souri et Alphonse m'a tendu deux douzaines de beignes.

Moi : Wow. Merci.

Alphonse : Donnes-en à tes chums ! Ça va les faire venir icitte.

Moi : OK. Bon, ben... bye, tout le monde.

Je suis sortie du restaurant, et à ma grande surprise, j'ai réalisé que j'étais un peu nostalgique. Je sais que le Roi du Beigne n'est pas l'endroit le plus... chic en ville, mais je m'y suis quand même sentie à l'aise, et j'étais triste de quitter les filles.

Quand je suis rentrée chez moi, Félix m'a littéralement arraché les beignes des mains.

Moi : Eille ! C'est mon cadeau de départ, ça !

Félix (en mordant dans un beigne fourré au chocolat) : *Nope.* C'est MON bonus. Je le mérite amplement. Après tout, je cohabite avec toi.

Zack (en apparaissant derrière lui) : Miam. Je peux en avoir ?

Moi : T'es sûr ? Il me semble que ça ne correspond pas vraiment à ton régime habituel.

Félix (en protégeant sa douzaine) : Ma sœur a raison. C'est plein de gras trans, de gluten et de sucre. Ce n'est pas bon pour toi.

Zack : Ouais, mais je suis un peu en rechute à cause du voyage.

Félix (en posant une main sur son épaule) : Et c'est pourquoi il est grand temps de te reprendre en main.

Je les ai laissés s'obstiner et je me suis enfermée dans ma chambre pour essayer de profiter un peu de mes dernières heures de liberté avant le retour officiel des nunuches dans ma vie.

Mais leur réapparition imminente ne m'a pas empêchée de ressentir une certaine fébrilité quand je suis sortie du lit ce matin.

Moi (en fredonnant) : Bonjour !

Félix (installé au comptoir de la cuisine, les yeux rivés sur son écran d'ordi) : Pourquoi tu ressembles à un labrador qui bat la queue ?

Moi : Parce qu'aujourd'hui, c'est le début de ma dernière année de secondaire, et que j'ai décidé de la commencer du bon pied. Je sais que j'ai connu mon lot de malchances et de moments honteux depuis que nous sommes arrivés en ville, mais je suis déterminée à changer mon karma et à...

J'ai réalisé que mon frère ne m'écoutait pas. Il était plongé dans la lecture d'un courriel.

Moi : Et toi ? Pourquoi t'as l'air aussi dynamique qu'un poisson rouge en phase terminale ? Et surtout, pourquoi es-tu debout à 7 h alors que tu commences juste à 10 h 30 ?

Félix : C'est Laure. Elle m'a écrit cette nuit. Elle ne file pas, mais je n'arrive pas à la joindre.

Moi (en mordant dans ma rôtie) : Qu'est-ce qui se passe avec elle ? Elle est blasée de voir la tour Eiffel ?

Félix : Je ne sais pas. Elle est triste, mais elle ne me donne pas de raison et ça me rend nerveux.

Il a levé les yeux vers moi. Il était cerné et semblait vraiment inquiet.

Moi : Relaxe, Félix. Ce n'est pas parce qu'elle ne te répond pas au bout d'une minute qu'il est arrivé quelque chose de grave. Il est 13 h, en France. Elle doit être quelque part. Genre à l'école.

Félix (en hochant la tête) : Ouais, t'as sûrement raison. J'aime juste pas ça sentir qu'elle ne file pas. Et c'est tellement dur avec la distance. Je me sens impotent.

Moi : T'es donc bien intense avec tes mots de Scrabble.

Félix a soupiré et s'est servi une autre tasse de café.

Moi : T'sais quoi ? C'est un peu le monde à l'envers, ce matin.

Félix : De quoi tu parles ?

Moi : Ben là ! Tu capotes tellement à cause de ta relation que tu en fais de l'insomnie, alors que moi, je suis *full* relaxe et je profite de la vie. Après toutes ces années, je vois enfin c'est quoi être dans la peau de Félix Olivier.

Félix : Ark. Je ne veux pas devenir une *drama queen* comme toi !

Moi (en adoptant son ton de voix habituel) : Désolée, *dude*, mais il est déjà trop tard.

Je lui ai envoyé un sourire satisfait et je suis allée me préparer pour l'école. Comme il faisait beau et chaud, j'ai décidé d'enfiler une robe soleil crème ornée de petits motifs pour faire ressortir mon bronzage.

Mon choix vestimentaire a semblé plaire à Oli, qui a sifflé en me voyant arriver au métro.

Oli (en me serrant contre lui) : Wow. Tu es, genre, la plus belle fille au monde.
Moi (en rougissant) : Pff. C'est toi qui as un problème de vision.

Mais ses compliments m'ont permis de gagner un peu plus d'assurance et de franchir la porte de l'école d'un air confiant. Mon moment de gloire a évidemment été gâché par l'intervention de Maude, qui a grimacé en me voyant.

Maude : Tu devrais y penser deux fois avant de porter du beige. On dirait que tu débarques directement du pôle Nord.
Marianne : Pauvre Léna. C'est ça qui arrive quand tu passes ton été enfermée dans un resto graisseux. Tu en ressors verte.

Maude : Non, tu te trompes, Marianne. Le vert, c'est la couleur qu'elle adopte quand elle va à La Ronde et qu'elle vomit partout.

J'ai tressailli. Pourquoi faisait-elle allusion à ça ? Qui lui avait dit que j'avais été malade en sortant des manèges ?

Olivier (en me prenant la main d'un air nerveux) : Écoute-les pas, Poussin. Viens, on va aller à l'auditorium rejoindre les autres.

Moi (en fronçant les sourcils) : OLI ?!? As-tu raconté mon épisode de vomi aux nunuches ?

Olivier : Non ! Je te jure que je ne leur ai rien dit. Elles ont dû l'apprendre d'une autre façon...

Moi (les mains sur les hanches) : De quelle façon ? Crache le morceau !

Olivier (l'air piteux) : OK... Ce soir-là, je suis allé chez José, et c'est sorti tout seul.

Moi : Tu as raconté au chum de l'antéchrist que j'avais vomi dans une poubelle ?

Olivier : Ouais, mais je lui en ai parlé parce que je me faisais du souci pour toi et que je pensais que je pouvais lui faire confiance. J'ai gaffé, Léa. Je ne pensais pas qu'il allait s'ouvrir la trappe.

Moi : Quand vas-tu finir par réaliser que ce gars-là est le moins loyal au monde ?

Katherine et Jeanne nous ont rejoints, au grand soulagement d'Olivier qui en a profité pour changer de sujet.

Oli : Eille ! Salut, les filles ! Comment ça va, ce matin ?

J'ai roulé les yeux et nous sommes entrés dans l'auditorium. Mon instant de zénitude avait duré moins d'une heure. Nous nous sommes assis et nous avons écouté le directeur prononcer le même discours que l'année précédente, à l'exception de sa conclusion.

Le directeur : N'oubliez pas que vous êtes des finissants, et que c'est à vous de montrer l'exemple. Et maintenant, laissez-moi vous présenter une nouvelle élève qui se joindra à vous cette année.

J'ai souri. Il y a deux ans, c'est moi qui avais dû grimper sur la scène pour faire face à mes nouveaux camarades, et à l'automne dernier, c'est Oli qui faisait son entrée dans l'école.

Le directeur : Voici Bianca Gosselin-Smith. Elle nous arrive directement de Los Angeles.

Tous les regards se sont tournés vers la grande fille aux cheveux bruns bouclés, à la peau basanée et au regard confiant qui s'avançait vers lui.

Le directeur : Bianca, je te souhaite la bienvenue, et j'espère que les élèves de secondaire 5 sauront t'accueillir à bras ouverts.

Bianca : Merci, monsieur. Je n'en doute pas une minute.

Deux profs nous ont ensuite distribué un Duo-Tang personnalisé nous indiquant notre classe, notre numéro de casier et notre horaire.

Moi (en attendant nerveusement qu'on me tende le mien) : Ça évolue ! Avant, il fallait que je me garroche sur le babillard pour apprendre que Maude était une fois de plus dans ma classe.

Jeanne (en riant) : J'ai confiance que tu arriveras à t'en débarrasser cette année !

Jeanne a ouvert son classeur.

Jeanne : Groupe 52 !

Katherine : Poche ! Je suis dans le 53.

Alex : Et moi dans le 51.

Moi : Bon. Ça m'assure au moins de ne pas être complètement rejet.

J'ai ouvert mon Duo-Tang et j'ai souri en voyant le numéro de ma classe.

Moi et une voix détestable et gossante : groupe 52 !

J'ai tourné la tête et j'ai aperçu Maude qui me dévisageait. Évidemment. Il fallait une fois de plus qu'on soit pognées dans la même classe.

Moi (en soupirant) : Arg.
Jeanne : Eille ! Sois contente ! On est ensemble !
Katherine : Ben là ! Ce n'est pas juste ! Je suis rejet.
Olivier : *Nope!* Je suis dans le groupe 53, moi aussi !

Katherine l'a regardé d'un drôle d'air.

Katherine : Ah ben... C'est... cool.
Sophie (en se penchant vers Katherine) : Lydia et moi aussi, on est avec vous.
Moi (d'un ton sarcastique) : Chanceux.
Maude (en serrant Marianne dans ses bras) : Yé ! Je ne serai pas seule pour affronter Léa OliRaté et Bianca Gosselin-Gossante.

Pauvre nouvelle. Maude l'avait prise en grippe moins de quinze minutes après son arrivée.

Moi : Au secours ! J'ai droit à un « deux nunuches pour le prix d'une » !

Nous avons continué à discuter tout en marchant vers nos casiers respectifs pour y déposer nos trucs, puis je me suis rendue à mon premier cours de français de l'année.

Bianca est passée devant moi. J'en ai profité pour me présenter.

Moi : Salut ! Moi, c'est Léa.
Bianca (l'air surpris) : Allo ! Ben comme tu sais, je m'appelle Bianca.
Moi : Je voulais juste te dire que comme je suis arrivée ici en secondaire 3, je sais à quel point ce n'est pas évident de s'intégrer.
Bianca (en me dévisageant) : Oh... Désolée pour toi.
Moi : Ah, non, non ! Là, c'est correct. Ça va mieux. Je disais juste ça pour que tu saches que j'ai traversé quelque chose de semblable, alors n'hésite pas à venir me voir si jamais tu capotes.
Bianca : C'est gentil, Laura, mais je suis sûre que je vais m'en sortir. Ça ne me stresse pas pantoute de débarquer dans votre école.

Elle m'a souri et elle est allée s'asseoir à l'arrière de la classe avant même que je puisse la corriger. Elle s'est aussitôt mise à jaser avec les gars qui l'entouraient. Elle n'avait l'air aucunement intimidée par le fait d'être une nouvelle venue.

Maude et Marianne ont ensuite fait leur entrée dans la classe et se sont assurées de pousser quelques cris d'animaux avant de s'asseoir à l'avant. L'année s'annonçait déjà longue.

Quand la cloche du dîner a enfin retenti, Jeanne et moi avons rejoint le reste de la gang à la cafétéria.

Moi (en regardant autour de moi) : Où sont les gars ?
Katherine : Je ne sais pas. Oli a disparu après le cours de maths.
Jeanne : Pauvre lui. Il doit se sentir rejet ! Éloi, Alex, José et toute sa gang sont dans la même classe.
Katherine (en pointant vers notre droite) : Il n'a pas l'air trop déprimé.

Nous avons alors aperçu Olivier, José, Alex et Éloi qui riaient aux éclats tandis que Bianca leur racontait une histoire qui se voulait hilarante.

Jeanne : Oh, oh. Maude n'a pas l'air d'apprécier l'attention que son chum porte à la nouvelle.
Katherine : Pauvre Bianca. Elle ne sait pas qu'elle est en train de se faire une ennemie de taille.
Moi : Yep. J'en sais quelque chose.

Les gars ont continué à jaser avec elle jusqu'à ce que Maude intervienne en tirant José par le bras. Oli et Éloi en ont profité pour se joindre à nous.

Olivier (en s'assoyant, l'air heureux) : Elle est vraiment cool, la nouvelle.

Moi : Ah ouais ? J'ai pourtant essayé de fraterniser avec elle pendant le cours de français, mais elle a semblé un peu froide.

Katherine : Peut-être que c'est le genre de fille qui s'entend mieux avec les gars que les filles.

Éloi (d'un ton désapprobateur) : Bianca a débarqué ici il y a moins de trois heures. Est-ce qu'on peut attendre quelques semaines avant de la juger ?

J'ai acquiescé, un peu honteuse. Éloi avait raison.

J'ai réussi à survivre au reste de la journée en me tenant loin des nunuches et en essayant de me montrer souriante envers Bianca. Après tout, ma résolution du jour de l'An est encore valide et c'est important que je lui accorde une autre chance. Je te tiendrai évidemment au courant des développements !

Léa xox

À : Léa_jaime@mail.com
De : Marilou33@mail.com
Date : Mercredi 2 septembre, 18 h 33
Objet : Rentrée ratée

Salut !
Si je te dis que je t'écris en mangeant des Miss Vickie's sel et vinaigre, est-ce que ça va te donner une bonne idée de l'état pathétique dans lequel je me trouve ?

Une chance que j'ai ton courriel pour sourire un peu. Je pense que c'était écrit dans le ciel que tu allais une fois de plus te retrouver avec les deux nunuches en chef dans ta classe ; sinon, ta dernière année de secondaire ne serait pas aussi mémorable ! Pour ce qui est de la nouvelle, c'est bien que tu lui donnes le bénéfice du doute, mais reste quand même sur tes gardes, car tu as assez d'ennemies comme ça !

Mon matin a été un enfer. Tout le contraire du tien. Quand je me suis levée, j'avais une boule dans la gorge. La même que j'ai ressentie au lendemain de ma rupture avec JP. Je me suis traînée jusqu'à la cuisine et mon père m'a tendu un verre de jus d'orange.

Mon père : C'est quoi, cette face d'enterrement ? Réalises-tu que c'est une grosse année qui commence aujourd'hui ?

Moi (d'un ton blasé) : Ouais, mais j'aurais plutôt opté pour étirer mes vacances.

Mon père : D'habitude, t'es super contente quand vient le temps de retrouver ton monde !

Moi : Le problème, c'est qu'une partie de « mon monde » ne fréquente plus mon école.

Mon père : Ah ! Là, je comprends. C'est JP qui te met dans cet état-là ?

Moi (un peu gênée) : Pff. Non. Je n'ai pas dit ça.

Mon père : Lou, j'ai cru comprendre que la séparation n'avait pas été facile, mais je tiens à ce que tu saches que je suis là pour toi, OK ?

Moi : Comment ça « t'as cru comprendre » ?

Mon père : Comme je cohabite avec toi, j'ai bien vu que tu n'avais pas le moral. Et ta mère m'en a glissé un mot.

Moi (faussement outrée) : Ben là ! C'est quoi, l'affaire ? Vous potinez même si vous êtes séparés ?

Mon père (en souriant) : On ne potine pas, Lou. On s'inquiète. J'ai vu que tu traînais de la patte cet été, et j'en ai parlé à ta mère avant ses vacances parce que je me faisais du souci pour toi. Elle m'a simplement dit que tu traversais une période difficile et elle m'a demandé de veiller sur toi pendant son absence. C'est tout.

Moi (en me calmant un peu) : Ah, OK.

Zak est arrivé sur ces entrefaites.

Zak : Lou, quand est-ce que je vais voir JP ? Je m'ennuie, moi.

Arg. Comme il avait déjà connu son lot d'émotions avec la séparation de mes parents, j'avais décidé de le ménager en lui cachant ma propre rupture.

Moi : Euh... Je...
Mon père (en volant à ma rescousse) : JP est très occupé depuis qu'il a commencé le cégep, mais Marilou était justement en train de me dire qu'il pensait aussi beaucoup à toi.
Moi (en voulant changer de sujet) : Papa, tu ne m'avais pas dit que tu avais acheté des chocolatines ?
Zak : OUI ! DES CHOCOLATINES !!!

Je savais que l'attrait de la bouffe lui remontait le moral ! Je me suis ensuite préparée en vitesse en enfilant un vieux jean et un chandail qui datait de mon secondaire 1. Je sais que je ne m'aidais pas en m'habillant comme la chienne à Jacques, mais je voulais un *kit* qui reflétait mon état d'esprit.

Quand Laurie m'a vue arriver à l'école, elle s'est évidemment mise à secouer la tête d'un air désapprobateur.

Laurie (en pointant ma tenue du doigt) : Euh... C'est quoi, la *joke* ? Pourquoi tu es déguisée en clocharde ?

Moi (en roulant les yeux) : N'exagère pas, Laurie. J'ai enfilé la première chose qui m'est tombée sous la main. De toute façon, je n'ai personne à impressionner, cette année.

Laurie : OK. Il va falloir qu'on travaille sur ton attitude. Ton bonheur et ton look ne peuvent pas dépendre de la présence d'un gars à l'école, Marilou. Tu es une fille intelligente, forte et jolie, et il est temps que tu te reprennes en main.

Moi : Je suis contente de voir que la féministe en toi fait un retour en force, mais je n'ai pas besoin qu'on me...

Un cri est venu interrompre ma montée de lait.

Steph (en courant vers nous) : Les filles !! Je suis tellement contente de vous voir !

Comme Steph était partie faire le tour de la Gaspésie avec ses parents tout de suite après son camp, je ne l'avais pas vue depuis le début de l'été.

Laurie : Wow ! T'es donc ben belle et bronzée ! Les vacances te vont à ravir !

Steph : Merci ! J'ai tellement tripé cet été, vous ne pouvez pas savoir ! Mais toi aussi, Laurie, tu as l'air en pleine forme !

Elle s'est alors tournée vers moi, et son sourire a disparu.

Steph : Marilou, tu... euh... Ça va ?
Laurie : Non. Madame est dans une phase « je suis en peine d'amour et mon hygiène personnelle passe en second plan ».
Moi (en reniflant discrètement mes aisselles) : Ben là ! Faut pas exagérer.
Laurie : Steph, je suis vraiment contente que tu sois là. Je vais avoir besoin d'aide pour son *make-over*.
Moi : Quel *make-over* ?
Steph (en ignorant ma question) : Tu peux compter sur moi.

J'ai soupiré et nous sommes entrées dans l'école. J'en ai profité pour faire un petit résumé à Steph des derniers événements impliquant JP.

Une fois rendues dans le gymnase, nous avons appris que nous étions toutes les trois dans la même classe.

Laurie : Cool ! Ça va être une année débile !
Steph : Tellement ! Ça fait deux semaines que je prie les dieux de l'école pour qu'on soit ensemble, et voilà que mon rêve est exaucé !
Laurie : En plus, on a le reste de la journée pour faire ce qu'on veut !

Steph (en me pointant discrètement) : Je commencerais par ses cheveux. On dirait qu'elle a des *dreads* !

Laurie : OK. Mais après, il faut l'emmener magasiner pour lui faire comprendre qu'on peut à la fois être triste et *cute*.

Moi (en relevant la tête) : Euh, allo ? Pourquoi parlez-vous de moi comme si je n'étais pas là ?

Laurie (en me dévisageant) : Parce qu'on n'est même pas certaines qu'il s'agisse vraiment de toi.

Moi : Vous exagérez ! J'ai juste opté pour un look naturel. Je n'ai pas besoin d'une intervention.

Mon entêtement n'a toutefois pas suffi à les convaincre, puisqu'après le discours du directeur, elles m'ont traînée de force chez Steph. Cette dernière m'a aussitôt peint les ongles tandis que Laurie essayait de dompter mes cheveux.

Moi : Les filles, c'est super gentil, mais je me fous complètement de mon apparence. Tout ce que je veux, c'est JP.

Laurie : Crois-tu vraiment pouvoir le récupérer avec ton air désespéré et ton odeur de chien mouillé ?

Moi : Eille !

Steph : Laurie n'a pas tort, Lou. Tu sais comme nous que c'est quand on respire la confiance que les gars reviennent en rampant.

Moi : Alors j'ai peur de ne pas être plus avancée à Noël.

Laurie : Ben on pourrait au moins lui donner l'impression que tu es bien dans ta peau ?

Steph : Je suis d'accord. D'autant plus qu'il a l'air en super forme, lui...

Je me suis tournée vers elle.

Moi : Comment tu sais ça ?

Steph : Euh. Je l'ai vu.

Moi : Hein ? Quand ça ? Après qu'on se soit croisés au party ?

Steph (en baissant les yeux) : Ouais. C'est arrivé avant-hier. Je voulais t'en parler, mais comme tu n'avais pas l'air de filer, je ne voulais pas en rajouter.

Moi : Raconte.

Steph : Quand je suis rentrée de Gaspésie, j'ai vu que j'avais reçu quatre messages de Seb. Il avait envie de prendre de mes nouvelles.

Laurie (d'un ton suspicieux) : Hum ? C'est louche, ça.

Steph : Non. On a envie de rester amis, c'est tout.

Moi : OK. Mais qu'est-ce que JP a à voir là-dedans ?

Steph : Seb m'a donné rendez-vous au parc pour aller manger quelque chose, et quand je suis arrivée, il était en train de jaser avec Thomas et JP.

Moi : Est-ce que les cruches étaient là ?

Steph : Non, il y avait juste les gars.

Moi : Et JP, il était comment ? Est-ce qu'il avait l'air de m'aimer encore ?

Steph : Euh, je... ne sais pas trop quoi répondre à ça.

Moi (avec énervement) : OK, alors dis-moi comment il a réagi quand il t'a vue.

Steph : Il avait l'air content de me voir. J'ai trouvé qu'il avait l'air... en forme.

Moi : Grr. Ça m'énerve.

Steph : Pourquoi ? Tu préférerais qu'il soit misérable ?

Moi (d'une petite voix) : Oui...

Laurie : Marilou, tu sais très bien que JP *rushe*, lui aussi. La preuve, c'est qu'il t'a lui-même avoué que ça l'avait bouleversé de te revoir. La différence, c'est que contrairement à toi, il se force pour rester propre.

Moi (en soupirant) : C'est bon, j'ai compris. Je vous jure qu'à partir de demain, je vais faire un effort pour avoir l'air un peu plus... rayonnante.

Laurie et Steph : YÉ !

Je suis rentrée chez moi, et mon père m'a offert de commander une pizza. Je pense que c'est sa façon à lui de me remonter le moral. ☺ D'ailleurs, je vais aller l'aider à mettre la table, mais je te promets que la prochaine fois que je t'écrirai, ce sera une Marilou moins amochée par la vie qui sera derrière son écran !

Lou xox

Jeudi 3 septembre

16 h 21

Jeanne (en ligne): Salut! T'es disparue super vite après l'école!

16 h 21

Katherine (en ligne): Je sais, mais comme je sentais qu'Oli allait me proposer d'aller chez lui pour préparer le petit oral d'anglais, j'ai préféré fuir.

16 h 22

Jeanne (en ligne): Et tu penses faire ça jusqu'à la fin de l'année?

16 h 22

Katherine (en ligne): Non. Seulement jusqu'à ce que je m'habitue à le voir tous les jours et que je fasse la paix avec mon mauvais karma.

16 h 23

Jeanne (en ligne): Rien ne te force à faire tes travaux avec lui. Ce n'est pas parce que vous êtes dans la même classe que vous devez être inséparables.

16 h 23

Katherine (en ligne): Ben je n'ai pas vraiment d'autres options à part me lier d'amitié avec Sophie et Lydia!;) De toute façon, Oli ne se doute de rien, et il croit encore qu'on est de bons amis. Je ne veux pas ruiner ça.

16 h 24

Jeanne (en ligne): Tu pourrais au moins t'arranger pour faire vos travaux à l'école. C'est pas mal moins romantique comme ambiance!

16 h 24

Katherine (en ligne): C'était exactement ce que je pensais faire. Mais dans un autre ordre d'idées, est-ce que je peux savoir pourquoi on a déjà des devoirs après trois jours d'école?

16 h 25

Jeanne (en ligne): Je ne sais pas. Apparemment, les profs tiennent à ce que l'on sache que notre secondaire 5 ne sera pas de tout repos.

Léa vient de se joindre à la conversation

16 h 25

Léa (en ligne): Salut, les filles! De quoi vous parlez?

16 h 26

Katherine (en ligne): Du fait qu'on a déjà un oral en anglais!

16 h 26

Léa (en ligne): Parlez-m'en pas! Je vais devoir me ridiculiser devant les nunuches pour une troisième année de suite!

16 h 27

Jeanne (en ligne): Ne t'en fais pas, Léa. Je vais t'aider! D'ailleurs, veux-tu venir chez moi samedi?

16 h 27

Léa (en ligne): Oui! Merci! ☺

16 h 28

Katherine (en ligne): Arg! Vous êtes tellement chanceuses d'être dans le même groupe!

16 h 28

Léa (en ligne): Ne t'en fais pas, Kath. Oli n'a l'air de rien, mais il est vraiment bolé à l'école! Je suis sûre que vous allez former un duo d'enfer.

16 h 29

Jeanne (en ligne): Parlant de lui, est-ce que c'est vrai qu'il veut organiser un party pour la rentrée?

16 h 29

Léa (en ligne): Ouais. Ç'aura lieu dans une semaine. Mais il m'a dit qu'il ne savait pas encore si ce serait chez lui, chez Alex ou chez Bianca.

16 h 30

Katherine (en ligne): Bianca... la nouvelle?

16 h 30

Léa (en ligne): Ouais. Ç'a l'air qu'elle aurait proposé à Alex et Oli de faire ça chez elle, question de briser la glace et de connaître tout le monde.

16 h 31

Katherine (en ligne): On ne peut pas dire qu'elle perd du temps pour s'intégrer.

16 h 31

Jeanne (en ligne): En effet!

16 h 32

Katherine (en ligne): Avez-vous eu la chance de lui parler un peu plus cette semaine?

16 h 32

Jeanne (en ligne): Pas vraiment. Elle s'assoit toujours dans le fond avec les gars.

16 h 32

Léa (en ligne): Elle m'a dit allo aujourd'hui. C'est un léger progrès.

16 h 33

Katherine (en ligne): Je sais qu'Éloi nous a dit de lui laisser une chance, mais je n'arrive pas à la saisir, cette fille-là.

16 h 34

Jeanne (en ligne): Je pense que c'est une *leader*. Le genre de fille qui est vraiment sûre d'elle et qui se fout de ce que le monde pense. Perso, je trouve ça un peu intimidant.

16 h 34

Léa (en ligne): Au moins, elle se tient loin des nunuches. Je pense que ça m'achèverait si elles s'unissaient pour me haïr !

16 h 35

Jeanne (en ligne): Les filles, il faut que je vous laisse. J'ai promis à mon père que je le battrais au tennis, et je dois le rejoindre dans trente minutes.

16 h 35

Léa (en ligne): OK. Je vais en profiter pour intervenir dans la cuisine. J'entends Zack qui gosse avec les chaudrons, et je n'ai aucune envie de manger du soja bouilli.

16 h 36

Katherine (en ligne): Il est encore chez vous, lui?

16 h 36

Léa (en ligne): Ouais. Ses parents sont revenus, mais ça ne l'empêche pas de coller ici la moitié du temps.

16 h 37

Jeanne (en ligne): Et sa Marie-Fleur aussi?

16 h 37

Léa (en ligne): Tu me fais réaliser que ça fait longtemps que je ne l'ai pas vue. Est-ce que ça veut dire que Marie-Poilu connaît des difficultés? Je vais vite aller investiguer!

16 h 38

Jeanne (en ligne): Cool! On se parle demain! xx

16 h 39

Katherine (en ligne): Bonne soirée, les filles! xx

À : Marilou33@mail.com
De : Léa_jaime@mail.com
Date : Dimanche 6 septembre, 15 h 54
Objet : Poussin plein de plumes ou poule pas de tête ?

Salut, Lou !
Alors, comment se passe ta métamorphose ? Est-ce que Laurie et Steph ont profité de la fin de semaine pour te sortir de ta torpeur ? Même si je suis d'accord avec leur approche et que je suis contente qu'elles veillent à ton mieux-être, je pense que je suis très mal placée pour te juger. Après tout, je me souviens que pendant ma période postrupture avec Thomas, je ressemblais littéralement à un légume pourri. Bref, sache que je te comprends et que je ne te jugerai pas si tu prends du temps à revamper ton look. Au pire, les gens croiront que tu t'entraînes pour l'Halloween ! ;)

Ma fin de semaine a été plutôt relaxe. Vendredi soir, je suis allée jouer aux quilles avec mes parents, Félix et Zack. C'est mon père qui a insisté pour faire une activité à l'extérieur de la maison, question de forcer mon frère à se détacher de son ordi. Malheureusement, personne n'avait le contrôle de son iPhone, et nous l'avons surpris en train de pianoter sur son écran entre deux lancers.

Ma mère : Félix, lâche ton cellulaire ! Nous sommes venus ici pour nous changer les idées.

Félix : Deux secondes. Je souhaite bonne nuit à Laure.

Zack (en s'exerçant à lancer dans le vide) : Pauvre *bro*. Quand je te vois dans cet état-là, je me félicite d'avoir cassé avec Marie-Fleur.

Moi (surprise) : Hein ? Tu ne sors plus avec elle ?

Zack (en me faisant un clin d'œil) : *Nope*. Je suis libre comme l'air, si jamais ça t'intéresse.

Moi (en grimaçant) : C'est gentil, mais je vais essayer de me retenir. Pourquoi vous n'êtes plus ensemble, au juste ?

Zack : Quand j'étais en voyage, j'ai réalisé que j'avais envie de liberté. Et la distance n'a pas aidé...

Moi (en observant mon frère du coin de l'œil) : Si seulement Félix pouvait t'entendre.

Zack : Ouais. L'ironie dans tout ça, c'est que je suis devenu célibataire au moment même où ton frère nous a annoncé qu'il était amoureux et qu'il amorçait sa métamorphose.

Félix s'est alors joint à nous en se frottant les mains.

Félix : Bon, maintenant que Laure est au lit, je peux vous prouver ma supériorité en faisant quelques abats.

Moi : Par chance, il lui arrive parfois de redevenir le gars baveux et arrogant que l'on connaît !

Après les quilles, nous sommes allés manger une frite au casse-croûte du coin, et quand je suis rentrée à la maison, j'ai réalisé que ça faisait longtemps que je n'avais pas eu une soirée familiale aussi géniale.

Samedi, j'ai passé la journée chez Jeanne pour préparer un exposé oral en anglais, et je t'avoue que je capote un peu depuis notre rencontre.

Pour une fois, ce n'est pas le fait de baragouiner devant toute la classe avec mon accent campagnard qui me fait peur. Le problème, c'est plutôt que notre présentation doit porter sur nos ambitions futures, et qu'en discutant avec Jeanne, j'ai réalisé que je ne savais pas trop ce que je voulais faire dans la vie. Et comme les inscriptions au cégep s'en viennent à grands pas, je me rend compte qu'il est temps que je me branche.

Comme Jeanne sait déjà qu'elle veut étudier en sciences humaines pour se diriger vers le droit, j'ai proposé de simuler une entrevue et de faire comme si je la recevais dans une émission de télé. Au pire, le prof s'imaginera que je rêve de devenir Véronique Cloutier.

Après notre séance d'étude, Olivier m'a rejointe chez Jeanne pour m'emmener voir un film en amoureux.

Lui (en s'assoyant à côté de moi dans la salle de cinéma et en me tendant son pop-corn) : Ça va ? T'as l'air songeuse, aujourd'hui.

Moi : Désolée. C'est l'oral d'anglais qui me perturbe.

Lui : Relaxe, Poussin. Ça compte juste pour cinq pour cent.

Moi : Ce n'est pas la note qui me stresse. C'est le sujet.

Lui : Tes rêves et ambitions ?

Moi : Ouais. Je réalise que ce n'est pas encore très clair pour moi, et ça m'angoisse un peu. Jeanne et toi savez que le droit vous intéresse, Katherine aimerait étudier en communications, Éloi vise le journalisme, Alex hésite encore, mais il sait qu'il veut s'inscrire en sciences pures, et moi, je me sens comme une poule pas de tête.

Lui (en m'attirant vers lui) : Mais non, voyons ! T'es plutôt un petit poussin plein de plumes !

Moi (en le repoussant gentiment) : C'est *cute*, Oli, mais je n'ai pas trop la tête à faire des blagues en ce moment.

Lui (en haussant les épaules) : Je pense que tu capotes pour rien.

Moi : Je crois pas, moi. Le secondaire achève, et il est temps que je trouve ma niche.

Lui : Ça va être dur, comme t'es un oiseau.

Je me suis efforcée de sourire, mais ses jeux de mots plates m'énervaient. C'est comme s'il ne comprenait pas que j'avais vraiment besoin de réconfort et que ça m'arrivait parfois de vouloir discuter de choses sérieuses. J'ai essayé de me changer les idées en me concentrant sur Ben Affleck qui réglait des problèmes de sécurité nationale, mais je t'avoue que j'aurais préféré une comédie ou un truc romantique.

Après le film, Olivier et moi avons marché jusqu'au métro.

Olivier : Je t'ai dit que j'allais en France à Noël ?
Moi : Non. C'est donc bien cool !
Olivier : Ouais. On va passer les fêtes chez des amis de la famille. Le seul hic, c'est que je pars trois semaines. Mes parents ont déjà parlé au directeur pour lui dire que je raterais la première semaine de cours.
Moi : En quoi c'est un problème ?
Olivier (en faisait la moue) : Ben là. Tu vas me manquer.

Je sais que j'aurais dû trouver ça *cute* qu'il se préoccupe déjà de la façon dont il allait se sentir quand il passera vingt jours loin de moi dans plus de trois mois, mais ç'a eu l'effet contraire.

Moi : Mais Oli, c'est dans tellement longtemps. Tu n'as pas besoin de penser à ça tout de suite.
Olivier : T'es mal placée pour parler ; c'est toi qui capotes parce que tu ne sais pas quel métier tu vas pratiquer dans dix ans.
Moi (sur la défensive) : Ça n'a rien à voir. C'est normal de stresser à cause de mon avenir !

Olivier : OK. Et ce n'est pas « normal » de m'en faire parce qu'on va être séparés pendant plusieurs semaines ?

Moi : Tu ne déménages pas à l'autre bout du monde, Oli ; tu pars en vacances avec ta famille. Et je ne crois pas que ma situation se compare à la tienne.

Nous avons marché en silence jusqu'au métro. Comme nous n'allions pas dans la même direction, nous nous sommes arrêtés après les tourniquets.

Moi : Merci de m'avoir invitée au cinéma.

Olivier (en souriant) : Merci à toi de t'être tapé un film d'action.

Moi : Ça m'a fait plaisir.

Je me suis mordu la lèvre. C'est la première fois qu'il y avait un froid entre nous et je ne savais pas trop comment agir. D'un côté, je n'avais pas envie de me disputer avec lui, mais d'un autre, sa comparaison boiteuse m'avait blessée.

Oli (en m'attirant vers lui) : Est-ce que je peux au moins avoir un baiser de bonne nuit ?

Moi (en esquissant un petit sourire) : Ben oui.

J'ai entendu mon métro qui approchait.

Moi : Bon, je dois y aller.

Oli (en m'embrassant sur les lèvres): Bonne nuit, Poussin jaune. Fais de beaux rêves, et évite de stresser pour rien !

Je lui ai fait un signe de la main et j'ai couru vers un wagon. Je me suis assise et j'ai réalisé que je bouillais un peu à l'intérieur. Non seulement je me sentais incomprise, mais son petit surnom aviaire commençait sérieusement à me taper sur les nerfs. Je suis rentrée chez moi, puis j'ai pris un long bain question de retrouver mon calme.

Aujourd'hui, ça sent un peu l'automne. Comme il pleut et qu'il fait frais, j'ai décidé de rester en pyjama et de m'écraser dans le salon avec mon père pour lire et décrocher du reste du monde. C'est d'ailleurs de là que je t'écris. Je trouve ça vraiment réconfortant de me retrouver dans ma bulle familiale, et j'espère que ça m'aidera à commencer la nouvelle semaine de meilleure humeur.

J'ai hâte d'avoir tes nouvelles !

Léa xox

Chapitre 4 :
Mission JP

Le Blogue de Manu

Inscris un titre : Je ne sais pas où je m'en vais !

Écris ton problème : Salut, Manu ! Je sais que ça fait longtemps que je t'ai écrit, mais je vis un moment de stress intense, et je crois que tes conseils m'aideraient vraiment à y voir plus clair.

Je viens juste de commencer mon secondaire 5, et pratiquement tous mes amis ont l'air de savoir ce qu'ils veulent faire dans la vie. Comme tu sais, je devrai faire mon inscription au cégep dans quelques mois, et ça m'angoisse de ne pas savoir vers quel domaine je devrais me diriger.

Qu'est-ce qui arrive si je me trompe ? Ou si je réalise que je suis nulle dans ce que j'ai choisi ? Et comment dois-je faire pour déterminer la branche qui est faite pour moi ?

Des fois, j'envie celles qui rêvent de devenir la prochaine Marie-Mai. Ce n'est peut-être pas évident de percer dans le domaine du *show-business*, mais au moins, elles savent ce qu'elles veulent !

J'espère que tu me répondras!

Léa xox

Manu répond à deux questions par semaine. Tu seras peut-être choisie...

Lundi 7 septembre

18 h 21

Alex (en ligne): Pourquoi tu me boudes, poil de maïs?

18 h 22

Léa (en ligne): Hein? De quoi tu parles?

18 h 22

Alex (en ligne): N'essaie pas! Je le vois bien que tu es fâchée contre moi.

18 h 23

Léa (en ligne): Je ne suis pas «fâchée».

18 h 23

Alex (en ligne): C'est pour ça que tu me regardais comme un écureuil enragé après l'école?

18 h 24

Léa (en ligne): T'exagères!

18 h 24

Alex (en ligne): Allez, dis-moi ce qui se passe. Je n'aime pas ça sentir que mon rongeur préféré me fuit comme la peste (je suis en feu!).

18 h 24

Léa (en ligne): J'avoue que tes blagues plates me font rire!

18 h 25

Alex (en ligne): Maintenant, imagine-moi avec une face de chien piteux et dis-moi ce qui te tracasse!

18 h 25

Léa (en ligne): Tu ne t'en doutes vraiment pas?

18 h 25

Alex (en ligne): Non.

18 h 26

Léa (en ligne): On s'était dit qu'on mangerait ensemble, ce midi...

Alex (en ligne): Et tu m'en veux d'avoir annulé ? Mais tu sais que c'était pour une bonne cause ! Je voulais assister à la réunion d'information du Conseil étudiant parce que je veux me présenter aux élections. *Alex fo' prez!*

18 h 27

Léa (en ligne): Ark ! Je voterai pour toi uniquement si tu me promets de ne jamais utiliser ce slogan !

18 h 27

Alex (en ligne): *Deal!* Est-ce que ça veut dire que je peux compter sur toi pour m'aider dans ma campagne électorale ? ☺

18 h 27

Léa (en ligne): T'as déjà assez d'aide comme ça, à ce que j'ai pu voir...

18 h 28

Alex (en ligne): De qui tu parles ?

Léa (en ligne): De Bianca, la nouvelle. Je vous ai vus en train de dîner, et c'est ça qui m'a blessée. Je comprends que tu annules notre dîner pour une réunion, mais j'ai eu l'impression que tu inventais une excuse parce que tu préférais manger avec elle.

18 h 28

Alex (en ligne): Léa, je ne t'ai pas menti; comme Bianca assistait aussi à la rencontre, on a bouffé ensemble en quatrième vitesse avant de s'y rendre, mais il ne faut pas que t'ailles chercher plus loin.

18 h 30

Alex (en ligne): Tu ne me parles plus? Une marmotte a mangé ta langue?

18 h 30

Léa (en ligne): Non. Je me sens juste nounoune de t'avoir fait une crise pour rien.;)

Alex (en ligne): C'est correct. Tu ne serais pas la même sans ton petit caractère! ☺ Mais là, on peut mettre tout ça derrière nous parce qu'on sait que ce n'est ni de ma faute, ni de la tienne, ni de celle de Bianca.

18 h 31

Léa (en ligne): Parlant d'elle, est-ce que je peux juste te poser une dernière question?

18 h 32

Alex (en ligne): Évidemment!

18 h 32

Léa (en ligne): Tu ne trouves pas qu'elle l'a un peu facile?

18 h 32

Alex (en ligne): Pourquoi? Parce qu'elle s'implique dans l'école et qu'elle fait des efforts pour connaître les gens?

Léa (en ligne): Vu comme ça... C'est juste que moi, ça m'a pris des mois à me sentir à l'aise et à me faire de bons amis.

Alex (en ligne): Je sais, Rongeur, mais dis-toi que personne ne réagit de la même façon. Bianca est cool comme fille, et je suis certain que tu t'entendrais bien avec elle.

Léa (en ligne): J'ai pourtant essayé de tisser des liens avec elle en classe, mais elle est un peu distante avec moi.

Alex (en ligne): C'est sûrement parce qu'elle se sent intimidée par ta crinière de blé.

Léa (en ligne): Niaiseux!

Alex (en ligne): La bonne nouvelle, c'est que comme c'est elle qui organise le party de vendredi, tu auras la chance de la connaître un peu mieux.

18 h 36

Léa (en ligne): Ouais; Oli m'a annoncé ça tantôt.

18 h 36

Alex (en ligne): Et c'est pratique pour toi, car vous êtes presque voisines! Pour en revenir à notre malentendu, est-ce que je peux au moins me reprendre en t'invitant à manger une grosse poutine demain midi?

18 h 37

Léa (en ligne): Là, tu me prends par les sentiments!

18 h 37

Alex (en ligne): Est-ce que ça veut dire oui?

18 h 37

Léa (en ligne): Évidemment! Et pour ce qui est de Bianca, si Oli, Éloi et toi vous entendez pour dire qu'elle est gentille, je suis sûre que ça cliquera une fois qu'on se connaîtra un peu mieux. En plus, elle semble fuir les nunuches comme la peste, alors je me dis qu'on a au moins ça en commun!

18 h 38

Alex (en ligne): En effet! ☺

18 h 38

Léa (en ligne): Sur ce, je vais devoir vous quitter, monsieur le futur président de secondaire 5, car mon souper m'attend. Mais j'ai très hâte à demain pour partager avec vous l'un de nos mets nationaux.

18 h 41

Alex (en ligne): Moi aussi! Et tu pourras tout de suite me prouver tes talents d'assistante personnelle en massant mes épaules pendant que je mangerai ma galvaude.

18 h 42

Léa (en ligne): Ha, ha! Tu peux toujours rêver, poil de quenouille! À demain! xox

À : Léa_jaime@mail.com
De : Marilou33@mail.com
Date : Mercredi 9 septembre, 21 h 33
Objet : Mission : récupérer JP

Salut !
Premièrement, je veux te rassurer : les choses ont beaucoup évolué depuis que je t'ai appelée dimanche soir après avoir lu ton courriel. J'espère d'ailleurs que notre conversation t'a aidée à relativiser les choses à propos à ton avenir. T'as seize ans, Léa, pas quarante-cinq. C'est correct si tu ne sais pas exactement où tu t'en vas, et je te répète que je suis dans la même situation que toi, alors *CALMOS* ! Comme je te le disais, essaie de penser aux choses qui te passionnent pour trouver un champ d'études : les communications, l'écriture, le cinéma, les nunuches... Tu vois, plein d'options s'ouvrent à toi !

Sinon, il paraît que ça peut être vraiment utile d'y aller par élimination. Par exemple, tu peux déjà rayer « joueuse professionnelle de flûte » et « professeure d'anglais » de ta liste ! ;)

Sans blague, pourquoi tu n'irais pas consulter un orienteur pour t'aider à y voir plus clair ? Il te fera passer quelques tests, te posera des questions et peut-être que ça t'aidera à réaliser ce que tu veux faire dans la vie ?

Deuxièmement, j'ai appris une grande nouvelle hier après-midi. Tu veux que je te donne un indice ? C'est le genre d'annonce qui redonne littéralement le sourire...

Léa, j'ai enfin appris qu'après dix-huit mois de supplices infinis et de moments d'humiliations traumatisants, je n'aurai plus à me comparer mentalement à un trombone géant, car je serai bientôt débarrassée de mes broches ! Fini, le chemin de fer ! Terminés, les morceaux de bouffe coincés sous mon fil dentaire ! *Adiós*, les photos où je ne souris pas parce que j'ai trop honte de montrer ce qui se cache dans ma bouche ! La grande libération aura lieu vendredi, et je pense que je ne me suis jamais sentie aussi soulagée. Réalises-tu ce que ça représente pour mon ego ? Juste au moment où je commençais à me sentir aussi sexy qu'un rat d'égout, voilà que j'apprends qu'il y a de l'espoir, et que je peux reprendre un tant soit peu le contrôle de mon apparence.

Tu seras heureuse d'apprendre que le départ imminent de mes broches m'a donné le coup de pouce dont j'avais besoin pour me reprendre en main. J'ai commencé par un ménage en profondeur de ma garde-robe (celle chez ma mère, car c'est là où j'accumule le plus de trucs).

J'ai préparé deux sacs pour les démunis, et j'ai retrouvé des vêtements vraiment cool que je croyais avoir perdus dans le tourbillon de la séparation et du déménagement. J'ai revu certains looks en les agençant différemment, et j'ai demandé à ma mère si elle voulait bien m'accompagner au centre commercial en fin de semaine. L'heure est grave, et je suis prête à gruger un peu mes économies pour me sentir mieux dans ma peau.

Tout ceci m'amène à t'exposer ma grande décision. Comme tu le sais, j'ai réalisé il y a quelques semaines que non seulement je n'arrivais pas à oublier JP, mais que je l'aimais encore passionnément. Bien que ce constat m'ait temporairement plongée dans un état dépressif, comateux et végétatif, les choses ont changé, et j'ai établi une stratégie.

Il s'agit d'un plan en cinq étapes intitulé « Mission : récupérer JP » que je te présente ci-dessous.

1. Reprendre le contrôle de mon apparence physique. Comme le but est de reconquérir mon ex, je pense que les filles et toi avez raison : une meilleure hygiène de vie s'impose pour la réussite de mon plan, et je ne crois pas être en mesure de regagner qui que ce soit en ayant des mouches qui me tournent autour de la tête.
2. M'arranger pour revoir JP et lui faire comprendre que je suis une fille extraordinaire, même si j'ai commis la pire gaffe de ma vie il y a à peine cinq mois. Je pense que c'est essentiel qu'il

apprenne à me voir sous un nouveau jour. Genre : « Wow, voici la Marilou 2.0. Une nouvelle fille qui ressemble étrangement à celle qui m'a brisé le cœur, mais en mieux. Et je pense que je devrais apprendre à mieux la connaître, car elle semble pas mal plus cool que l'ancienne. » Pour ce faire, je dois arrêter de ressasser le passé et essayer de créer de nouveaux liens avec lui. Ce qui m'amène d'ailleurs à mon troisième point...

3. Devenir amie avec JP. Je crois que la meilleure façon de créer un lien d'intimité entre lui et moi passe par l'amitié. Ça fait plusieurs mois qu'on ne se parle plus, et c'est essentiel d'y aller une étape à la fois. En plus, je connais assez JP pour savoir que si je me lance sans avertissement en implorant son pardon et en lui promettant mon amour éternel, ça ne fonctionnera pas. Il a d'abord besoin de sentir que nous sommes proches et que le courant passe toujours aussi bien entre nous.

4. Lui avouer mon amour éternel et espérer que ce soit réciproque. Dans le meilleur des scénarios, les moments de complicité qu'on passera ensemble lui permettront de se rendre compte qu'il m'aime encore lui aussi et qu'il peut essayer de m'accorder une autre chance.

5. Lui prouver que je suis digne de confiance et repartir sur de nouvelles bases. Je sais que cette étape n'est pas évidente à accomplir, mais j'ai espoir d'y arriver. Je ne sais pas encore exactement

comment m'y prendre pour lui faire réaliser qu'il n'a aucune raison de douter de moi et que plus jamais de ma vie je n'embrasserai d'autres gars en étant avec lui, mais j'ai confiance que la solution apparaîtra d'elle-même.

La bonne nouvelle, c'est que la première étape de mon plan est déjà en branle. Il me faut donc trouver une façon d'aborder JP et de bavarder avec lui pendant plus de quatre secondes pour poursuivre ma stratégie, et le nouveau lien d'amitié qui unit Seb et Steph m'apparaît comme un bon filon pour y parvenir.

Comme j'ai passé les vingt-quatre dernières heures à ruminer tout ça dans ma tête, je n'ai absolument pas avancé dans mon travail en éthique et culture religieuse ni celui en géo, mais je voulais te parler d'un dernier truc avant de replonger dans mes devoirs plates.

Tu m'as écrit que la réaction d'Oli t'avait un peu énervée, car tu aurais préféré qu'il te rassure et qu'il te prenne au sérieux, et ça, je peux tout à fait le comprendre. Après tout, je pense que c'est complètement normal que ton chum te tape sur les nerfs de temps à autre.

Le problème, c'est qu'au cours des dernières semaines, j'ai souvent eu l'impression que ses petites attentions commençaient aussi à te gosser, et ça, c'est moins bon signe. Léa, est-ce que ça se pourrait que ce soit lui qui t'énerve, et non sa façon d'agir? Après tout, Alex te surnomme Rongeur et Poil de machin à tout bout de champ, et je ne t'ai jamais vue grimacer. Je sais que la déclaration d'Oli t'a un peu prise de cours, et je ne te jugerai pas si tu es encore mélangée.

Si je te dis tout ça, c'est parce que même si je sais bien que l'amour n'a pas besoin d'être aussi torride et violent qu'avec Thomas, tu mérites tout de même tous les papillons du monde, comme dirait si bien ta maman! ;)

On en reparlera, si tu veux. En attendant, je vais essayer de me concentrer sur mes travaux scolaires. J'AI TELLEMENT HÂTE À VENDREDI!!!

Lou xox

À : Marilou33@mail.com
De : Léa_jaime@mail.com
Date : Samedi 12 septembre, 13 h 43
Objet : Bianca 101

Salut, chère *best* qui a une dentition parfaite!

As-tu reçu mes milliers de SMS? JE VEUX UNE PHOTO!! Je me suis habituée à te voir avec des broches, et je ne me souviens même plus de toi sans ton appareil dentaire, alors je suis vraiment curieuse. Tu dois être TELLEMENT belle. Je capote ! Et je suis super contente que ça t'ait encouragée à penser à un stratagème pour récupérer JP. Je sais que tu as vraiment passé un été difficile, et je te souhaite sincèrement que ça fonctionne, Lou. Moi aussi, j'ai de la misère à t'imaginer avec un autre que lui, et je suis certaine qu'au fond, il est encore amoureux de toi, lui aussi. Le défi, ce sera de lui faire comprendre que tu as vraiment eu ta leçon et que tu es prête à tout pour regagner sa confiance. Mais ne t'en fais pas, il ne s'agit pas d'une mission impossible.

Évidemment, tu te doutes que la lecture de ton courriel m'a aussi fait réfléchir. Tu sais ce qui me gosse avec toi ? C'est que tu me connais tellement bien que tu es toujours capable de mettre le doigt sur le bobo. La vérité, c'est que je me posais secrètement les mêmes questions que celles que tu as soulevées sans trop obtenir de réponses claires.

Je sais que je me sens encore bien avec Oli et que je suis toujours un peu énervée à l'idée de passer du temps avec lui, mais c'est vrai que des fois, c'est comme si mon cœur n'y était pas. J'en ai d'ailleurs glissé un petit mot à Jeanne hier alors qu'on se préparait pour aller au party chez Bianca.

Moi (tandis que Jeanne appliquait mon mascara – tu sais que je suis bien trop nulle pour le faire toute seule) : Si je te confie quelque chose, est-ce que tu me promets d'en parler à personne ?

Jeanne : Même pas dans un article pour le journal étudiant ?

Moi (en lui faisant une grimace) : Eille !

Jeanne (en immobilisant ma tête) : Ne bouge pas si tu ne veux pas avoir l'air d'un monstre ! Tu sais bien que tu peux me faire confiance. Raconte-moi tout.

Moi (en me mordant la lèvre) : OK. Si je te dis que des fois, Oli me gosse un peu, est-ce que tu vas me répondre que ça regarde mal et que c'est mauvais signe ?

Jeanne (en haussant les épaules) : Les gars pensent différemment des filles. Je crois que c'est normal que certaines de ses réactions t'énervent. Après tout, ce n'est pas parce que vous sortez ensemble que tu dois être en admiration devant lui vingt-quatre heures sur vingt-quatre.

Moi (en hochant la tête d'un air peu convaincant) : Ouais, t'as sûrement raison.

Jeanne : Mais si tu me demandes ça, ce doit être parce que tu as toi-même des doutes ?

Moi : Je sais pas trop. Je n'ai jamais été dans une relation comme ça avant. C'est calme, c'est sain. Oli me comprend, m'aime, me respecte, et on s'amuse vraiment ensemble...

Jeanne : Mais ?

Moi : Mais des fois, je me demande si c'est assez. Je sais que je vais avoir l'air vraiment exigeante en disant ça, mais quand je regarde mon frère qui vit d'amour, d'ordi et d'eau fraîche, je me dis que je n'en suis pas au même point, et ça me stresse un peu.

Jeanne : Dans le fond, tu es en train de m'avouer que tes sentiments n'ont pas vraiment évolué depuis qu'on en a parlé le mois dernier ?

Moi (un peu honteuse) : Ouais. J'espérais sincèrement que le fait de dire à Oli que je l'aimais débloque quelque chose en moi, mais on dirait que je traîne encore un peu de la patte.

Jeanne (en observant mes yeux pour s'assurer que mon maquillage ne coulait pas) : Est-ce que tu penses que tu serais mieux sans lui ?

Moi : Je ne crois pas. Ça me ferait vraiment de la peine de le perdre. Oli est un gars tellement... parfait pour moi. C'est pour ça que je suis mélangée.

Jeanne : Tu sais que je ne suis pas une grande spécialiste de l'amour, mais mon conseil serait de laisser aller les choses encore un peu pour voir si ça évolue. Si dans quelques semaines tu réalises que tu es follement amoureuse, tant mieux, mais si tu vois que tu es encore aux prises avec les mêmes doutes, tu auras ta réponse.

Moi : C'est un peu ce que je comptais faire, mais je ne voudrais surtout pas jouer avec ses sentiments. Il m'aime tellement que je me sens mal de ne pas être certaine de ce que je ressens. On dirait que je n'arrive pas à me défaire de ma culpabilité.

Jeanne : Arrête de te taper sur la tête, Léa. Tu voudrais que tout soit clair, mais tu ne peux pas te forcer à trouver des réponses si tu ne sais pas ce que tu veux.

La sonnette a retenti, nous indiquant que Katherine était arrivée chez moi.

Moi : Pas un mot à Kath, OK ? Je sais qu'elle est proche d'Oli, et je ne voudrais pas la mettre dans une situation délicate.

Jeanne a hoché la tête et nous sommes descendues pour lui ouvrir.

Kath (en entrant et en retirant ses chaussures) : Salut, les filles !

Jeanne et moi : Allo !

Kath (en chuchotant) : Léa, c'est qui le gars pas propre qui regarde la télé dans ton salon ? Un autre membre de la gang de Marie-Poilu ?

Moi : Non... C'est Félix.

Les filles ont écarquillé les yeux en observant mon frère. C'est vrai qu'il avait l'air particulièrement... amoché ce soir-là. Il portait un pantalon de jogging gris et un vieux t-shirt troué. Il avait les cheveux en bataille et la barbe longue.

Katherine (en chuchotant) : Je ne comprends pas. Il essaie de nous faire une blague ? C'est pour ça qu'il est habillé comme ça ?

Moi : Non. Il s'ennuie de sa blonde, et comme elle passe la fin de semaine en montagne et qu'il n'a aucun moyen de la joindre, ça le déprime encore plus.

Jeanne : Mais... c'est... tellement pas lui de se laisser aller !

Moi : Je sais.

Katherine : Pauvre petit pit. On devrait l'inviter au party pour lui changer les idées.

Moi (en la regardant d'un drôle d'air) : Es-tu en train de me dire que tu veux inviter ton ex dans une fête même s'il est déprimé à cause de sa nouvelle blonde ?

Katherine (en haussant les épaules) : Ouais. Il fait tellement pitié à voir. De toute façon, il n'y a aucun risque que je retombe amoureuse de lui dans cet état-là...

J'ai acquiescé et je me suis avancée vers mon frère.

Moi : Félix ?

Félix (en gardant les yeux rivés sur la télé et en mangeant des crottes de fromage) : Hum ?

Moi : Ça va ?

Félix : Ouais. Il y a un marathon de *Mad Men* à la télé et j'ai assez de cochonneries pour survivre pendant des jours. Ça ne pourrait pas aller mieux.

Moi : OK. Mais tu ne crois pas que ce qui te ferait *vraiment* du bien, ce serait de prendre une douche, d'enfiler des vêtements propres et de sortir prendre un peu d'air ?

Félix : Nah. Le sofa est mon meilleur ami.

J'ai regardé mes amies d'un air désespéré.

Jeanne (en s'avançant à son tour) : Félix, pourquoi tu ne nous accompagnes pas au party de Bianca ? Elle est nouvelle à l'école et elle se cherche des amis. En plus, Éloi va être là !

Félix (sans quitter la télé des yeux) : Non. Suis trop bien ici.

Katherine (en essayant à son tour) : Allez, Félix. Ce n'est pas ton genre de passer un vendredi soir barricadé chez toi. Et je suis sûre qu'il y aura plein de *chicks* chez Bianca.

Jeanne et moi l'avons regardée avec un air surpris. Ce n'était tellement pas son genre de sortir un truc pareil ! Même Félix a semblé décontenancé ; la preuve, c'est qu'il a détourné son attention de Don Draper pour la fixer avec des yeux de merlan frit.

Félix (d'un ton amusé) : Tu veux que je sorte avec vous pour rencontrer des *chicks* ?

Katherine : Ben... Je... Ouais. Mais ce que je voudrais avant tout, c'est que tu sortes de ton divan, que tu te laves et que tu te fasses du *fun* avec nous.

Félix a hésité un instant, mais il a finalement décidé de s'enfoncer encore plus profondément dans le sofa.

Félix : Nah. C'est gentil, mais je n'ai pas la tête à ça. Et je n'ai surtout pas envie de voir des *chicks*.
Moi : Je vous l'ai dit, c'est un cas désespéré.

Jeanne, Katherine et moi sommes montées à l'étage pour finir de nous préparer, puis nous avons marché jusqu'à la maison unifamiliale de Bianca, qui est située à trois rues de chez moi.

Cette dernière nous a ouvert en souriant, ce qui m'a encouragée à briser la glace et à essayer de me rapprocher un peu d'elle.

Bianca : Salut, les filles.
Moi : Salut, Bianca. C'est joli, chez toi.
Bianca : Merci. Rentrez vite. Je suis en train de battre Alex à la console, et je ne veux pas qu'il profite de mon absence pour tricher.

Nous l'avons suivie jusqu'au sous-sol où une vingtaine de personnes étaient déjà entassées. Elle a repris sa manette pour concrétiser sa victoire de course automobile.

Moi : Wow. T'es meilleure que moi à ce jeu-là.

Bianca : C'est mon ex qui m'a appris quand j'étais à L.A.

Moi : L.A. ?

Bianca : Los Angeles.

Moi (en rougissant) : Ah. Ben oui. Et… tu as cassé avec lui à cause de la distance ? Je suis déjà passée par là, moi aussi.

Bianca (en se servant une bière – oui, il y avait de la bière chez elle, même si ses parents étaient là) : Non. Je l'ai laissé parce qu'il était jaloux. Il capotait chaque fois que je faisais un défilé, et ça m'étouffait.

Moi : Tu as fais des défilés de mode ?

Bianca : Ouais. Comme mon père est dans le *business*, il utilise souvent ses contacts pour moi.

Moi : Wow. C'est cool.

Bianca (en se tournant vers José) : Eille, toi ! Tu ne m'avais pas promis d'apporter des *churros*, ce soir ?

José (en s'approchant de nous, me faisant immédiatement tressaillir) : Désolée, *querida* ! Ma mère n'a pas eu le temps d'en cuisiner. Mais elle m'a promis de se reprendre en fin de semaine.

Bianca : Cool ! Alors tu pourras nous en apporter dimanche. Ça va être un bon remontant après la course.

Course ? Quelle course ?

Alex (en se joignant à nous) : Ça ne vous tente pas plutôt de jouer au basket ? J'*haïs* ça, le jogging !

Bianca : Non ! C'est à votre tour de faire un compromis et de pratiquer *mon* sport ! De toute façon, il faut que vous vous entraîniez si vous voulez être prêt pour le triathlon.

Moi (en la regardant d'un air impressionné) : Tu... vas faire un triathlon ?

Bianca (comme si c'était la chose la plus banale au monde) : Il n'y a rien là. J'ai même convaincu les gars d'essayer avec moi.

Moi : Les gars ? Tu veux dire Alex et José ?

Bianca : Oli et Éloi sont censés participer, eux aussi.

J'étais bouche bée. Oli, Éloi et Alex dans une épreuve de triathlon ? Vraiment ?

Bianca (en me regardant d'un drôle d'air) : Mais je ne disais pas ça pour que tu te sentes rejet. Tu peux participer, si ça te tente. C'est ouvert à tout le monde.

Moi : Euh... Merci. Je vais y penser.

Penser à quoi, épaisse ? La seule activité d'endurance que tu sois capable de faire se résume au magasinage.

Oli est arrivé par-derrière et m'a embrassée sur la tête.

Oli : Salut, vous deux.

Moi : Salut ! Bianca vient de m'apprendre que tu allais participer à une épreuve... sportive ?

Oli : Ouin. Parlant, de ça, Bi, je n'ai aucun problème avec la course et la nage, mais je suis vraiment nul en vélo.

Bi ? Il l'appelle « Bi », maintenant ?

Bianca (en lui ébouriffant les cheveux) : C'est pour ça que les entraînements existent, Oli chéri.

Grr. J'ai pris mon chum par la taille et je l'ai attiré vers moi.

Moi : De toute façon, tu pourras toujours compter sur moi pour t'attendre à la ligne d'arrivée et te féliciter en bonne et due forme, peu importe ton résultat.

J'ai planqué un baiser sur sa bouche pour concrétiser ma résolution.

Oli (en souriant, l'air surpris) : Wow. Avoir su, je me serais lancé dans le sport bien avant. Bon, je vais aller me chercher à boire. Je reviens.

Moi (en me tournant vers Bianca) : Alors, comment ça se passe, l'arrivée en ville ? Pas trop perdue ?

Bianca : Tellement pas. Montréal, c'est un village comparé à L.A. De toute façon, ma mère vient d'ici, alors je connais super bien la ville.

Moi : Ouais... mais ce ne doit quand même pas être évident de laisser tout derrière toi et d'arriver dans une école francophone en secondaire 5, alors que tu ne connais personne ?

Bianca : J'ai fréquenté le lycée français toute ma vie, alors la langue ne me cause pas de problème. Et je suis habituée de bouger et de changer de milieu. J'en parlais justement à Oli, l'autre jour, et j'ai réalisé qu'on avait ça en commun, lui et moi.

Respire, Léa.

Bianca (en poursuivant sur sa lancée) : Parlant d'affinités, Éloi m'a dit que tu participais au journal étudiant, toi aussi ?

Moi : Ouais. C'est ma troisième année.

Bianca : C'est drôle. J'étais éditorialiste en chef pour le journal de mon ancienne école.

Moi : Ah ouais ? Cool !

Coudonc, y a-t-il une chose qu'elle ne sait pas faire, elle ?

Bianca : C'est pour ça qu'Éloi m'a proposé de me joindre à l'équipe, cette année. Il a l'air de penser que ma touche personnelle pourrait aider la dynamique du groupe.

Moi (en m'efforçant d'avoir l'air contente) : Ah... Ouais ? Tu vas faire partie du journal ? Ah ben... c'est une bonne nouvelle ! On va se voir plus souvent.

José est une fois de plus venu nous interrompre.

José (en parlant à Bianca comme si je n'étais pas là) :
OK, je n'ai peut-être pas de *churros*, mais je viens de te
préparer une *michelada*, et je pense que tu vas capoter.
Bianca : C'est quoi, ça ?
José : De la bière avec de la sauce piquante. Viens
goûter !

Ils se sont éloignés, et Katherine et Jeanne en ont
profité pour venir me soutirer des informations.

Jeanne : Ça fait genre une heure que tu lui parles.
Quelles sont tes conclusions ?
Katherine : On l'aime ou on ne l'aime pas ?
Moi : Elle est plutôt sympathique.
Jeanne : Mais encore ?
Moi (en observant Bianca qui riait maintenant avec
Alex) : C'est juste que... c'est le genre de fille parfaite
qui sait tout faire, alors c'est difficile pour l'ego.
Katherine (en plissant les yeux) : Hum. Ce sont les plus
redoutables, celles-là.
Moi (en regardant Maude et Marianne faire leur
entrée) : Oh, non. Il y a pire.

J'ai vu le sourire de Maude s'estomper en apercevant
son chum qui tendait une boisson épicée à Bianca.
Elle a chuchoté quelque chose à l'oreille de Marianne,

puis elle est allée s'interposer entre José et sa nouvelle ennemie.

Bianca s'est contentée de faire volte-face et de trinquer avec Oli en repoussant ses cheveux derrière son épaule. J'étais presque contente de réaliser que leur proximité attisait mes sentiments pour lui. Pas très sain, mon affaire.

J'ai passé le reste de la soirée à jaser et à rire avec Alex, Éloi, Jeanne et Katherine. C'était cool de retrouver ma gang !

Avant de partir, j'ai décidé de faire un saut à la salle de bain. Quand je suis sortie des toilettes, je suis tombée face à face avec Bianca qui racontait des histoires hollywoodiennes à José et trois de ses amis. Ceux-ci étaient morts de rire. Maude est alors apparue, et j'ai vu des poignards dans ses yeux.

Maude : José, je veux partir.
José (en lui faisant un signe de la main) : Une minute. Je veux juste finir d'entendre l'histoire de Bi.
Maude : Je m'en fous de ce qu'elle raconte. J'ai mal aux jambes et je suis tannée d'être ici. C'est vraiment raté, comme party.

Elle avait dit ça en regardant Bianca. Je connais assez ma nunuche préférée pour savoir qu'elle cherchait à l'intimider, mais à ma grande surprise, Bianca n'a même pas sourcillé. Elle a continué à raconter son histoire sans accorder la moindre attention à Maude.

J'étais évidemment hyper impressionnée. Comme tu le sais, j'ai souvent essayé d'adopter cette attitude au cours des deux dernières années, mais je n'ai jamais été capable d'être complètement insensible aux attaques des nunuches.

Maude (en parlant plus fort pour être sûre de se faire entendre) : Je trouve que l'ambiance est vraiment poche et que ça sent l'animal de ferme à plein nez.

Son regard s'est alors posé sur moi. Sa haine pour Bianca n'allait apparemment m'accorder aucun répit.

José : Est-ce que Marianne peut te raccompagner ? J'aimerais ça rester, *babe*.

J'ai littéralement vu de la boucane sortir par les oreilles de Maude.

Maude : Non, elle ne peut pas me raccompagner. Ce n'est pas sa *job* de le faire. C'est la tienne. Et si tu ne te bouges pas les fesses au plus vite, je suis sûre qu'un autre gars va se faire un plaisir de te remplacer.

José a roulé les yeux, mais il s'est empressé de dire au revoir à tout le monde. Maude en a profité pour se poster devant Bianca et la menacer du regard.

Maude : Écoute-moi bien, Miss America : José est à moi. C'est-tu clair ?

Bianca s'est contentée d'esquisser un petit sourire, comme si elle trouvait la situation complètement ridicule, puis elle a tourné les talons pour se joindre à un autre groupe qui parlait un peu plus loin.

Oli (en me prenant par la taille) : Qu'est-ce que tu regardes, comme ça ?

Moi : Bianca et Maude. Je crois que la Troisième Guerre mondiale vient d'être déclarée.

Oli : C'est Maude, le problème. Elle est trop jalouse et possessive. Elle pense que toutes les filles représentent une menace à son ego.

Moi : Elle n'a pas tout à fait tort pour ce qui est de Bianca...

Oli (en me prenant par les épaules) : Tu ne vas quand même pas me dire que tu es jalouse de Bi ?

Moi : Pff. Non ! (Hésitation de quelques secondes) Ben... Pas vraiment. (Sons de criquets) OK, peut-être un peu. Mais tu parles d'une fille qui est compétente dans tous les domaines, qui jase avec les gars comme si c'était la chose la plus naturelle au monde, qui n'est pas intimidée par Maude et qui me dépasse de deux têtes. C'est dur de ne pas me sentir complexée.

Oli : Je jure que tu n'as aucun souci à te faire. Moi et les gars, on la perçoit comme un *bro*.

Mon regard s'est aussitôt posé sur Alex qui regardait Bianca comme si elle était une déesse superhéroïne descendue tout droit du ciel.

Moi : Si tu le dis...

Oli : Je te raccompagne chez toi ?

Moi (en bâillant) : OK !

J'ai dit au revoir à mes amis, j'ai remercié Bianca pour son hospitalité et j'ai rejoint Olivier.

Oli (en me prenant la main) : Tu me crois quand je te dis que tu n'as pas à t'inquiéter de Bianca, hein ?

Moi (surprise qu'il revienne sur le sujet) : Oui, oui.

Oli : Parce qu'à mes yeux, elle ne t'arrive pas à la cheville.

Moi : Faudrait quand même pas exagérer.

Oli (en souriant) : Des fois, je pense que tu ne réalises pas à quel point tu es géniale, Léa. Tu n'as tellement rien à envier à personne et je me trouve chanceux de sortir avec toi.

J'ai toussoté avec nervosité. Je sais que j'aurais dû me sentir choyée d'entendre une telle déclaration, mais son intensité me faisait sentir encore plus coupable.

Oli (en fronçant les sourcils) : Ça va ? T'as l'air bizarre.
Moi : Je suis juste fatiguée.

On est restés silencieux quelques instants.

Oli : Léa, j'aimerais revenir sur la discussion qu'on a eue l'autre jour.
Moi (en haussant un sourcil) : Laquelle ?
Oli : Celle sur la France. J'y ai beaucoup repensé, et je me sens un peu poche. Je n'aurais pas dû te harceler avec mon histoire de voyage. Ce n'est vraiment pas mon genre de paniquer à cause de ça. Généralement, j'y vais au jour le jour, mais c'est comme si le fait d'être amoureux de toi m'avait fait perdre mes repères.
Moi : Tu n'as pas à t'excuser, Oli. On vivait chacun un stress, et t'avais le droit d'exprimer ta frustration.
Oli : Ouais, mais ça m'a rendu un peu insensible à la tienne, et je m'en excuse.

J'ai souri. Pourquoi n'étais-je pas capable de tomber éperdument amoureuse de ce gars mature et pas compliqué ? Cet été, c'est justement sa nonchalance qui me plaisait le plus chez lui, car je trouvais que ça calmait mes ardeurs et que ça tempérait mon caractère.

Qu'est-ce qui avait changé depuis ? Qu'est-ce qui clochait chez moi ?

J'ai bataillé avec ces questions existentielles jusqu'à ce qu'on arrive devant chez moi.

Oli (en pointant devant nous) : Qu'est-ce que ton frère fait là ?

Félix était assis sur les marches devant la maison.

Moi (surprise) : Aucune idée. Je vais investiguer. On se parle demain ?
Oli (en m'embrassant) : Oui. Bonne nuit !

Je lui ai fait un petit signe de la main et je me suis installée à côté de Félix.

Moi : Qu'est-ce que tu fais dehors à regarder dans le vide ?
Félix : Je n'arrive pas à dormir.
Moi (en consultant mon cellulaire) : C'est peut-être parce qu'il est juste 23 h.
Félix : Pour vrai ?
Moi : Yep ! Pourquoi tu ne vas pas rejoindre tes amis quelque part au lieu de poireauter tout seul ?
Félix (en soupirant) : Je ne sais pas.

Moi : Félix, ça devient lourd de te voir comme ça. Tu ne peux pas t'empêcher de vivre à cause de Laure. Sinon, ça ne marchera jamais, vous deux.

Mon frère m'a regardée d'un air surpris.

Félix : Quand es-tu devenue la pro des relations interpersonnelles, toi ?

Moi : Crois-moi, je suis loin d'être une experte en matière de relations. Mais je connais assez bien mon frère pour savoir qu'il ne ressemble pas à la larve puante qui est assise à côté de moi.

Félix (en riant) : Wow. Tu as un don inné pour remonter le moral !

Moi (en haussant les épaules) : La méthode douce ne marche pas avec toi.

Félix : Je fais si dur que ça ?

Moi : Si je te dis que Zack a l'air de sortir d'une revue de mode comparé à toi, est-ce que ça répond à ta question ?

Félix (en grimaçant) : Ouais.

Moi : Je sais que tu es amoureux, mais ce n'est pas une raison pour arrêter de vivre, Félix.

Félix : Je sais.

Moi : Si Laure te voyait dans cet état-là, elle retournerait en France à la nage !

Félix (en soupirant) : Tu as raison.

Je l'ai regardé, surprise. C'est bien la première fois que Félix se montrait aussi ouvert à mes commentaires.

Félix : Je ne pensais jamais me sentir comme ça à cause d'une fille.

Moi : Ce n'est pas une mauvaise chose que tu sois aussi... vulnérable. Il faut juste que tu trouves un équilibre.

Félix : C'est tellement compliqué, l'amour. C'est comme si je n'avais plus de contrôle rationnel sur ce que je ressentais.

Moi : Je sais de quoi tu parles.

Félix : Pour vrai ? Pourtant, tu as tellement l'air en contrôle avec Olivier.

Moi : Je ne faisais pas référence à lui.

Félix : Oh.

Moi : Ouais. On dirait que toi et moi, on se retrouve aux deux extrêmes. Tu aimes trop et moi pas assez.

Félix (en secouant la tête) : C'est vraiment le monde à l'envers.

On est restés silencieux quelques instants.

Félix (en se levant) : Bon ! Je vais aller prendre une douche et rejoindre mes amis au bar du cégep. Merci, la sœur.

Moi : Es-tu en train de me dire que... mes conseils t'ont été utiles et que je suis indispensable à ta vie ?

Félix : N'exagère pas, quand même.

Moi (en faisant semblant de pleurer) : Oh, Félix ! Ça me touche tellement de voir que tu as besoin de moi pour être heureux.

Tout à coup, mes parents ont ouvert la porte.

Mon père : Est-ce que je peux savoir ce que vous faites là, tous les deux ?
Moi : Félix était en train de me dire à quel point j'étais extraordinaire.
Félix : Et Léa était en train d'avoir un anévrisme. Sur ce, je vais me préparer. Je sors, ce soir.
Ma mère (en me regardant d'un air étonné) : Bravo ! Tu as réussi à le faire bouger ! Comment as-tu fait ?
Moi : Je l'ai comparé à Zack.
Mon père (en riant) : Bonne stratégie, ma puce !

Je suis rentrée à mon tour et ma mère m'a préparé une tasse de chocolat chaud comme quand j'étais petite. J'ai d'ailleurs dormi comme un bébé et j'ai passé la matinée à paresser.

J'imagine que tu es en train de magasiner avec ta mère et que c'est ce qui explique que je n'ai toujours pas reçu de photo de toi. J'ai extrêmement hâte de connaître la nouvelle Marilou, alors ne me fais pas trop attendre !

Léa xox

Chapitre 5 :
Bianca Gosselin-Gossante

B.G.

À : Léa_jaime@mail.com
De : Marilou33@mail.com
Date : Mardi 15 septembre, 18 h 58
Objet : À l'attaque

Coucou !
Laisse-moi d'abord te remercier encore pour la super réaction que tu as eue dimanche, quand tu m'as parlé sur Skype. Ça m'a comme donné un petit *boost* supplémentaire pour commencer ma semaine du bon pied et passer officiellement à l'attaque.

Hier, j'ai d'abord expliqué à Steph que je voulais profiter de sa nouvelle amitié avec Seb pour me rapprocher de JP. À ma grande surprise, elle a accepté sans hésiter et elle s'est même arrangée pour donner rendez-vous à son ex aujourd'hui après l'école au terrain de basket du parc municipal.

Steph (en venant me rejoindre à mon casier après les cours) : Alors, t'es prête ?
Moi (en prenant une grande inspiration) : T'es sûre que c'est pas trop louche que je me pointe là-bas avec toi ?
Steph (en souriant) : Euh, c'est TRÈS louche. Mais c'est ce que tu veux, non ?
Moi (en essayant de me ressaisir) : Oui. T'as raison. Je suis juste stressée parce que je ne sais pas du tout comment JP va réagir en me voyant. Mais t'es certaine qu'il est là-bas ?

Steph : Affirmatif. Seb, JP et Thomas jouent ensemble tous les mardis et jeudis.

Moi (en m'observant pour une dernière fois dans le miroir miniature accroché dans mon casier) : OK. Allons-y.

J'étais tellement nerveuse que j'avais l'impression que mon cœur allait se décrocher de ma poitrine. J'ai d'ailleurs failli faire un arrêt cardiaque quand Seb est venu nous surprendre par-derrière alors que nous marchions devant le dépanneur.

Seb (en nous agrippant par le cou) : Coucou !

Moi : AHHHHHHHHHH !

Seb : Ben, voyons ! T'es donc bien nerveuse, Lou !

Moi : Non, non. Tu m'as juste fait faire un saut.

Steph : Qu'est-ce que tu fais ici ? On n'était pas censés se rejoindre au terrain de basket ?

Seb (en prenant une bouchée de sa barre de chocolat) : Ouais, mais j'avais faim, alors j'ai fait un petit détour par ici. Mais puisque vous êtes là, on n'a pas besoin d'y aller. Les gars vont survivre sans moi.

Non ! Il allait détruire mon plan !

Seb : Voulez-vous qu'on aille ailleurs ?

Moi (d'un ton sec) : NON ! On veut vous regarder jouer au basket !

Seb m'a regardée d'un drôle d'air.

Seb : OK. Je ne vous connaissais pas cette passion pour le sport.

Moi : Euh, allo ? J'ai toujours été, genre, une super grande fan de Michael Jackson !

Steph (en me faisant de gros yeux) : Tu veux dire Michael JORDAN ?

Moi : Ah, ouais. Désolée pour le lapsus. C'est parce que j'ai *Thriller* dans la tête.

Seb : Vous êtes certaines que ça vous tente d'aller gosser là-bas ? Il me semble que ça va être un peu plate pour vous.

Moi : Pas du tout. Steph et moi, on a plein de choses à se raconter, alors on pourra le faire en vous regardant vous pratiquer.

Seb (déçu) : Ouais, mais si je vais rejoindre les gars, je ne pourrai pas parler avec toi, Steph. Et tu ne m'as même pas encore raconté ton été au camp !

J'ai haussé un sourcil. Seb semblait aussi motivé à passer du temps avec Stéphanie que je l'étais à fréquenter JP.

Steph : On se reprendra après l'entraînement.

Quand nous sommes finalement arrivés au terrain, JP était en train de faire un panier. Il s'est tourné vers nous, et il a failli tomber à la renverse en me voyant approcher. J'avais au moins réussi à le surprendre.

Lui (en s'essuyant le front avec une serviette et en marchant vers nous) : Salut, les filles. Je ne m'attendais pas à vous voir ici !

Moi (en m'efforçant d'avoir l'air nonchalante) : Steph et moi avions des trucs à discuter, et quand elle m'a dit qu'elle devait rejoindre Seb ici, j'ai eu envie de faire d'une pierre deux coups. Je me sentais nostalgique du basket.

JP (d'un ton sceptique) : Toi ? Tu t'ennuies du basketball ?

Ce n'est pas de ton sport niaiseux dont je m'ennuie. C'est de toi.

Moi : Ouais, j'ai toujours adoré ce sport.

JP (en souriant) : C'est pour ça que t'es venue m'encourager un gros total de zéro fois pendant qu'on sortait ensemble ?

Moi : Euh... Non. Ça, c'était pour ne pas te déconcentrer.

Les gars l'ont interpellé sur le terrain. JP leur a fait un signe, puis il s'est penché vers moi.

JP (à mon oreille) : En passant, c'est drôle de te voir sans broches. Ça te va bien.

J'ai souri et j'ai senti mon pouls s'accélérer.

Moi : Merci.

Il est allé rejoindre ses amis et je me suis installée dans les estrades avec Steph.

Steph : C'est officiel. Tu lui fais encore de l'effet !
Moi : Tu penses ?
Steph : Mets-en ! Ça paraît dans sa face ! Et regarde-le jouer ! Il est *full* nerveux.
Moi : Il n'est pas le seul, je pense.
Steph : Qu'est-ce que tu veux dire ?
Moi : Euh, allo ? Tu n'as pas remarqué que Seb te regarde encore avec des cœurs dans les yeux ?
Steph (un peu découragée) : Non...
Moi : J'en déduis à ta réaction que ce n'était pas la nouvelle que tu espérais ?
Steph : Je l'aime comme ami, mais ça s'arrête là. Et je trouverais ça poche de devoir prendre mes distances parce qu'il veut plus.
Moi : On n'en est pas là encore. Peut-être que s'il sent que ce n'est pas réciproque, il n'osera pas te dire ce qu'il ressent vraiment.
Steph : J'espère, parce que je suis très bien célibataire.

Quand le match amical a pris fin, Steph et moi sommes allées retrouver les gars sur le terrain. Thomas en a profité pour me saluer.

Thomas : Allo, Marilou.

Moi : Salut, Thomas.

Thomas : Ça va bien ?

Moi : Mieux que la dernière fois que tu m'as vue. Toi ?

Thomas : Pas pire.

Moi : As-tu recommencé l'école, finalement ?

Thomas : Pas encore. Je me suis inscrit dans un programme de mécanique automobile, mais je commence juste en janvier. En attendant, je travaille encore chez mon oncle.

Moi : Félicitations. Je suis contente que tu aies trouvé ta voie.

JP (en se joignant à nous et en écarquillant les yeux) : Est-ce que je rêve ou est-ce que vous êtes en train de discuter cordialement ?

Moi (en souriant) : Tu ne rêves pas. Thomas et moi, on a enterré la hache de guerre.

JP : Quand ça ?

Thomas (en lui donnant une *bine* sur l'épaule) : *Long story*. Bon, je vais y aller avant que ma blonde me crucifie. À bientôt, Marilou. Tu salueras Léa de ma part.

Je lui ai fait un signe de la main et JP m'a observée d'un air suspicieux.

JP : C'est ton nouveau look qui t'a métamorphosée comme ça ?

Moi (en jouant l'innocente) : De quoi tu parles ?

JP : Ben là ! Tu aimes le basket, tu t'entends bien avec Thomas...

Moi (en m'efforçant de demeurer vague et mystérieuse) : Tout le monde évolue.

Seb et Steph se sont alors joints à nous, et cette dernière m'a regardée d'un drôle d'air.

Steph : Lou, on y va ?

Seb : Steph, on n'était pas censés aller manger ensemble ?

Steph : Ouais, mais... Marilou m'a fait réaliser qu'on avait un travail à finir pour demain, alors on va devoir se reprendre.

Moi (en sautant sur l'occasion) : Ça me donne une idée ! Pourquoi on n'irait pas souper tous les quatre, vendredi soir ? Un nouveau resto mexicain vient d'ouvrir à côté de l'aréna, alors ce serait le *fun* de l'essayer.

Seb : Si Steph peut, alors je suis *in*.

Moi (en la prenant par le cou) : Évidemment qu'elle peut ! Pas vrai, Steph ?

Steph (sans trop d'enthousiasme) : Hum. OK.

Moi (en me tournant vers JP, les yeux remplis d'espoir) : Et toi ? Tu peux te libérer ?

JP a semblé hésitant.

Moi : Allez ! Ça va nous permettre de parler plus que trois minutes et tu pourras m'aider à me préparer psychologiquement au cégep.

JP : OK. J'ai des plans en soirée, mais je vais m'arranger pour souper avec vous avant.

Moi (en m'efforçant de ne pas paranoïer à propos de ses mystérieux «plans») : Super! On se voit là-bas à 18 h 30! À vendredi!

J'ai pris Steph par le coude et je l'ai entraînée vers la rue.

Steph : LOU! Je sais que tu veux te rapprocher de JP, mais es-tu obligée de me mêler à chacune de tes activités?

Moi (sans porter attention à ce qu'elle me disait) : C'est quoi, tu penses, ses «plans de soirée»? Une *date* secrète? Un party avec des pitounes que je ne connais pas? Un verre avec les cruches teintées qui n'hésiteront pas à lui répéter à quel point il mérite mieux que moi?

Steph : La Terre appelle Marilou! Peux-tu m'écouter, s'il te plaît!

Moi : Hein? Oh, désolée, j'étais obnubilée par JP. Qu'est-ce qui se passe?

Steph : Il se passe que tu m'as ouvert les yeux et que j'ai réalisé que Seb était encore amoureux de moi. J'ai peur de lui donner une mauvaise impression si on organise des activités avec lui et JP.

Moi : Mais Steph, j'ai besoin de toi. Tu me sers de bouclier humain!

Steph (en fronçant les sourcils) : Merci pour ce rôle tripant, mais après vendredi, il va falloir que tu t'arranges comme une grande, Lou.

Je lui ai promis de trouver une façon de revoir JP sans l'impliquer une troisième fois et je suis rentrée chez moi, nerveuse, mais pleine d'espoir. Je sais que ce ne sera pas facile de récupérer JP, mais Léa, je ne suis pas folle ; j'ai vu l'étincelle dans ses yeux, et je sais que l'amour n'est pas mort !

J'espère que de ton côté, tu n'es pas en train de te ronger les sangs à cause d'Olivier ou de ton avenir professionnel ! ;) Je suis contente de t'avoir convaincue pour l'orienteur. Je suis sûre que ça t'aidera à y voir plus clair. Après ça, il restera juste ta vie amoureuse à régler !

Lou xox

À : Marilou33@mail.com
De : Léa_jaime@mail.com
Date : Jeudi 17 septembre, 22 h 03
Objet : La guerre des comités

Salut, Lou !
Avant de te raconter ma semaine dans le détail, je veux revenir sur ton histoire au terrain de basket. Je suis

moi aussi convaincue que ç'a fait un choc à JP de te voir dans toute ta splendeur et qu'il éprouve encore de l'amour pour toi. Maintenant, il ne reste plus qu'à lui montrer ta belle évolution intérieure, et je crois que ton moment de complicité avec Thomas est un pas dans la bonne direction. Même moi, j'ai capoté en lisant ton courriel! C'est fou comme le temps arrange parfois les choses. Après tout, mon ex était le premier sur ta liste noire, il y a un moins d'un an. Ça donne espoir qu'un jour, Maude devienne aussi douce qu'un agneau.

Mais pour l'instant, la compétition qui règne à l'école ne l'aide pas à être zen. Je t'explique: cette semaine, nous devions former les comités qui organiseront les événements marquants de notre dernière année de secondaire. J'imagine que ce doit être pareil dans ton école, mais ici, on doit constituer une équipe qui s'occupera de l'album des finissants, une autre qui veillera à tout ce qui a trait au bal et une dernière pour organiser le défilé de mode, qui est sans contredit l'activité la plus populaire dans laquelle plusieurs rêvent de s'impliquer. Évidemment, tu te doutes déjà que ma nunuche préférée se voyait déjà à la tête de ce comité.

Pour ma part, comme je travaille déjà au journal et que j'ai pas mal de pain sur la planche, j'ai préféré opter pour l'organisation du bal. C'est peut-être moins *glamour*, mais de cette façon, j'étais presque certaine de ne pas avoir les nunuches dans les pattes et d'accomplir des tâches pas trop compliquées qui allaient quand même m'aider à mousser ma demande d'admission au cégep. J'en ai d'ailleurs glissé un mot à Jeanne ce midi.

Jeanne : Je te comprends. Je n'ai pas le goût non plus de me battre avec quarante filles enragées qui veulent participer au défilé de mode.

Moi : Tu dis ça, mais je suis certaine que tu seras sélectionnée pour participer à l'une des chorégraphies.

Jeanne (en s'étouffant avec son jus) : Pitié, non ! J'ai-tu l'air d'une candidate de *La prochaine top-modèle américaine* ?!

Moi (en l'observant bien) : Honnêtement, oui ! Penses-y : Tyra Banks choisit toujours des filles qui ont un look unique comme toi. Ça, c'est sans parler du fait que tu mesures pratiquement quatre mètres !

Katherine (en s'assoyant avec nous) : De quoi vous parlez ?

Moi : Du fait que Jeanne et moi n'allons pas nous présenter pour le comité du défilé. Je préfère être dans celui du bal.

Jeanne : Et moi, je vais essayer de participer à l'album. Comme ça, je pourrai censurer tous les messages pas cool et les photos dégueu de nous que les autres essaieront de publier.

Katherine (en écarquillant les yeux) : Mais les filles, vous devez *absolument* m'accompagner à la réunion du comité du défilé. J'ai besoin de vous à mes côtés !

Moi : Pourquoi ?

Katherine : Parce que c'est comme un concours de popularité, cette affaire-là. Si je me pointe seule et rejet, je n'arriverai jamais à me tailler une place dans l'équipe.

Jeanne : Je peux t'accompagner, mais ne compte pas sur moi pour participer.

Moi (en mordant dans mon sandwich) : Même chose pour moi.

Katherine : Je me fiche que vous soyez figurantes ; l'important, c'est de me faire paraître cool. Allez, grouillez-vous de finir vos lunchs ! La rencontre commence dans dix minutes !

Katherine avait tellement l'air de prendre ça à cœur que j'ai englouti le reste de mon repas en quelques secondes et que je l'ai suivie docilement jusqu'au local de la réunion.

Madame Tardif, la responsable de la vie étudiante, était présente pour animer le débat.

Madame Tardif : Je vais d'abord demander à ceux et celles qui souhaitent diriger le comité de se manifester. S'il y a plus d'un candidat, je vous demanderai de vous exprimer à tour de rôle pour nous expliquer votre motivation, et un vote déterminera le ou la gagnante. Nous procéderons de la même façon pour la vice-présidence, mais les autres membres de l'équipe seront choisis à l'interne par les membres élus aujourd'hui.

Moi (en chuchotant dans l'oreille de Katherine) : Est-ce que la présidence t'intéresse ?
Katherine : Non. Je préfère le rôle du bras droit.
Madame Tardif : Qui souhaite se présenter comme président ou présidente du comité du défilé de mode ?

C'est sans surprise que Maude a levé la main pour poser sa candidature. Comme personne ne s'attendait à ce qu'elle ait de la compétition, nous avons tous été surpris lorsqu'une autre main s'est levée dans les airs. Et celle-ci n'appartenait à nulle autre que Bianca Gosselin-Smith. Même madame Tardif a semblé étonnée par ce coup de théâtre.

Madame Tardif : Euh, bon. Nous aurons à passer au vote. Maude et Bianca, je vous invite donc à venir à l'avant pour faire vos discours.

Maude a toussoté et a regardé son audience d'un air complaisant.

Maude : Comme vous le savez, j'exerce déjà le métier de mannequin. J'ai participé à des tonnes de *shootings* photo et défilés de mode. Je connais le milieu, et je n'ai pas besoin de vous expliquer que mon expérience est fondamentale pour organiser un défilé qui a de l'allure.

Elle s'est ensuite tournée vers Bianca et lui a envoyé un regard condescendant.

Maude : Comme mon adversaire vient à peine d'arriver à l'école, j'avoue que je ne comprends pas la logique de sa candidature. Elle ne connaît personne et je ne crois pas que ses goûts en matière de mode nous permettent d'aller bien loin. Bref, le choix est assez clair, et je m'attends à ce que vous votiez pour moi.

Sophie, Lydia et Marianne se sont mises à applaudir et Bianca a pris place à l'avant. Je voyais dans son regard que Maude n'avait pas réussi à la déstabiliser.

Bianca : Bonjour, tout le monde. Pour commencer, je tiens à vous rassurer : je sais que je suis nouvelle à l'école, et je comprends que vous ayez des doutes, mais je crois que vous avez tous pu constater au cours des deux dernières semaines que je suis une fille sociale et que je n'ai pas la langue dans ma poche. Je crois aussi que l'organisation du défilé de mode est une excellente façon de vous prouver de quoi je suis capable.

Je suis une fille qui a du *leadership*, mais je n'ai pas peur d'admettre mes faiblesses ni de déléguer les tâches. Je ne suis pas ici pour vous mener par le bout du nez ni pour imposer mes idées ; je veux simplement m'assurer que tout se passe bien et m'arranger pour qu'on travaille en harmonie. C'est notre dernière année, et je veux avoir du *fun* !

Elle a prononcé cette dernière phrase en haussant le ton et en tendant le poing dans les airs. Quelques personnes se sont mises à applaudir.

Bianca : Pour terminer, je voudrais aussi revenir sur les doutes de mon adversaire quant à mon expérience dans le domaine. Sachez que je fais aussi partie du monde de la mode depuis que je suis toute petite. Mon père a déjà été l'agent de plusieurs mannequins, et comme il travaille aujourd'hui comme acheteur pour de grandes marques, je suis certaine qu'il se fera un plaisir d'utiliser ses contacts pour nous aider à trouver des commanditaires et des boutiques qui seront fières de s'affilier à notre école. Merci beaucoup pour votre écoute, et j'espère que vous voterez avec votre cœur.

Apparemment, Bianca Gosselin-Gossante avait aussi du talent comme oratrice.

Les gens ont commencé à murmurer pour partager leurs opinions, mais madame Tardif s'est vite interposée pour nous faire taire et nous distribuer de petits papiers sur lesquels nous devions inscrire le nom de notre candidate préférée.

J'ai réfléchi quelques instants. C'était un choix assez difficile. Même si Maude était la personne que j'appréhendais le plus au monde, je connaissais sa passion pour la mode et je faisais confiance à son talent. Pour ce qui est de Bianca, même si je n'étais pas encore tout à fait arrivée à l'apprivoiser, l'enthousiasme de mes amis à son égard me poussait à lui accorder ma confiance.

J'ai finalement décidé de me baser sur leurs discours respectifs pour prendre ma décision. Maude avait opté pour l'attaque, tandis que Bianca s'était montrée optimiste et ouverte aux autres. Le choix m'apparaissait ainsi plutôt clair. J'ai remis mon papier à madame Tardif, qui s'est aussitôt mise à comptabiliser les votes.

Madame Tardif : La lutte a été serrée, mais c'est finalement Bianca qui remporte avec une avance de trois votes.

Maude s'est levée d'un air indigné et elle a frappé son bureau avec son poing.

Maude : C'est impossible ! J'exige un recomptage !
Madame Tardif (l'air terrifié) : Euh... Je t'assure que je n'ai pas fait d'erreur, Maude.
Maude : Alors, prouvez-le !

La responsable de la vie étudiante a recalculé les votes d'une main nerveuse et a présenté le résultat final à Maude, qui s'est aussitôt tournée vers nous avec un air dégoûté.

Maude : Vous n'avez aucun jugement. Réalisez-vous que vous venez d'élire une débutante qui ne connaît même pas notre école ? Vous allez regretter amèrement votre choix. Ça, je vous le garantis.

Madame Tardif : Maude, ne réagis pas comme ça ! Ce n'est pas parce que tu n'es pas présidente que tu ne peux pas occuper un autre poste dans le comité.

Maude (en pointant Bianca comme s'il s'agissait d'un ver de terre) : Pensez-vous vraiment que je vais accepter de me faire mener par le bout du nez par *elle* ?

Elle a secoué la tête et elle est sortie du local en claquant la porte.

Madame Tardif : Bon... Je sais que le résultat ne fait pas l'unanimité et le bonheur de tous, mais la démocratie a parlé, et je vous invite à applaudir Bianca, la nouvelle présidente du comité du défilé de mode !

Celle-ci nous a remerciés d'un signe de tête.

Madame Tardif : Bianca, nous allons maintenant demander à tous ceux qui sont intéressés par la vice-présidence de se manifester.

Katherine s'est levée d'un bond et s'est avancée devant la classe.

Katherine (sans hésiter) : Bianca, j'aimerais vraiment être ton bras droit. Je rêve de faire partie du comité du défilé depuis le tout début de mon secondaire, et je crois que mon expérience dans l'école pourra te venir en aide. J'ai évidemment voté pour toi, et je crois que nous formerons une équipe du tonnerre.

Jeanne et moi avons échangé un regard avant de l'applaudir. Son élan d'amour soudain pour Bianca nous prenait un peu par surprise.

Madame Tardif : Est-ce qu'il y a d'autres candidats ?

Personne ne s'est manifesté.

Bianca : Bon, dans ce cas, il me fera plaisir de travailler avec toi... Cathy ?
Katherine : Euh, je m'appelle Katherine, mais tu peux m'appeler Cathy si tu préfères.

J'étais un peu déboussolée de voir mon amie perdre ses moyens. Apparemment, elle venait elle aussi de succomber au charme de la nouvelle élève.

Madame Tardif : Voilà une bonne chose de réglée. Katherine sera la nouvelle vice-présidente, et ensemble, vous devrez constituer le reste de votre comité. Je m'attends à une équipe de six personnes. Vous me reviendrez avec la liste officielle lorsque ce sera fait. La réunion est terminée !

Une vingtaine de filles se sont aussitôt ruées sur Katherine et Bianca pour essayer d'obtenir l'un des postes disponibles.

Moi (en me débattant pour sortir de là) : Jeanne, on y va ?
Jeanne : Yep ! J'étouffe ici !

Je m'apprêtais à sortir du local quand Bianca m'a interpellée.

Bianca : Léa ?
Moi : Oui ?

Elle s'est éloignée de ses groupies pour venir me voir.

Bianca : As-tu voté pour moi ?
Moi : Euh. C'est plutôt personnel comme question, non ?
Bianca (sans broncher) : Ouais. Mais j'ai besoin d'une réponse.
Moi : Pourquoi ?
Bianca : Tu vas comprendre après.
Moi : Je... Oui, j'ai voté pour toi.

Bianca (en souriant): Cool. Je veux t'offrir quelque chose, mais je voulais d'abord m'assurer que tu étais de mon bord.

Moi: C'est gentil, mais avec le journal et le bal, je n'aurai pas le temps.

Bianca: T'exagères! Ce n'est pas SI exigeant.

Moi: Pour être honnête, le comité du défilé ne m'intéresse pas.

Bianca: Ça tombe bien, parce que j'ai besoin de toi pour l'une des chorégraphies et non pour l'organisation.

Moi: Hein? Mais... Je... Euh... Non, merci.

Bianca: Pourquoi?

Moi: Parce que je mesure deux pieds et je ne suis pas mannequin.

Bianca: Ne t'en fais pas; ton physique *fite* parfaitement avec ce que j'ai imaginé.

Moi: Ça veut dire quoi, ça?

Bianca: Tu devras assister à une rencontre pour le découvrir.

Moi: Mais, je...

Bianca (en m'interrompant): Merci d'accepter. En passant, Jeanne, je compte aussi sur toi pour faire partie du défilé. *Ciao*, les filles!

Elle a regagné sa horde de fans sans même nous laisser le temps de réagir.

Moi: Qu'est-ce qui vient de se passer, au juste?

Jeanne: Je pense qu'elle nous a imposé son défilé.

Moi : C'est quoi, l'affaire ? Elle va me faire jongler avec d'autres nains de mon espèce ?

Jeanne (sarcastique) : Ne t'en fais pas ; je m'occuperai de tout filmer pour immortaliser le moment.

La cloche annonçant la reprise des cours a sonné, et je n'ai pas eu le temps de repenser à la situation jusqu'à ce que je rentre chez moi. Je t'avoue que j'ai autant envie de marcher sur un podium que de manger un kilo de boudin et que ça m'irrite au plus haut point que Bianca m'oblige à participer au défilé. Ça me fait même regretter mon vote. Si j'avais opté pour Maude, j'aurais au moins eu la certitude de ne pas faire partie de sa liste de candidates !

Avant de retourner à mes devoirs, je voulais aussi t'annoncer que j'ai officiellement pris rendez-vous avec monsieur Lafortune, l'orienteur de l'école, pour passer une série de tests visant à guider mes choix. J'espère que son nom de famille est annonciateur de ma réussite ! ☺

Léa xox

À : Léa_jaime@mail.com
De : Marilou33@mail.com
Date : Samedi 19 septembre, 1 h 13
Objet : JP = insomnie

Salut !
Comme je n'arrive pas à fermer l'œil et qu'il est trop tard pour t'appeler, j'en profite pour te raconter mon souper par courriel.

Je me suis pointée à l'avance au restaurant en compagnie de Steph. En temps normal, j'aurais opté pour quelques minutes de retard, question de faire languir JP, mais je me suis dit que dans les circonstances, il valait mieux apparaître sous mon meilleur jour.

Le problème, c'est que lors de la réservation, l'hôtesse ne m'avait pas prévenue qu'il s'agissait d'une soirée spéciale d'ouverture impliquant toutes sortes d'accessoires mexicains et des mariachis. Tu peux donc t'imaginer ma surprise quand notre serveur a posé un sombrero sur nos têtes sans nous avertir.

Le serveur (en nous tendant des menus) : Bienvenue, ou plutôt *bienvenidos* au restaurant La pasión du cactus.
Moi : Euh, merci.

Un musicien vêtu d'un costume typiquement mexicain s'est alors précipité vers moi pour me prendre les mains.

Le musicien motivé : Yé m'appelle Carlos. Toi. *Bailar conmigo*. Mainténant.
Moi : Non. Moi no *bailar*.
Le musicien (en m'attirant vers lui et en se dandinant) : Mais si ! *Suavementeeee, besameeeee!*

JP et Seb ont évidemment choisi cet instant pour arriver. J'ai vu un mélange de surprise et d'amusement sur le visage de mon ex quand il m'a aperçue en train d'essayer de suivre le rythme de mon partenaire.

Moi (en repoussant gentiment Carlos) : OK, Carlos. *Gracias* pour la danse. Ba-bye.

Je me suis rassise et JP s'est installé sur la banquette devant moi.

Moi (en criant pour me faire entendre malgré la musique) : Désolée. Je ne savais pas qu'il y avait une fiesta mexicaine ce soir.
JP : Et moi, je ne savais pas que j'assisterais à un spectacle de salsa !
Steph (d'un air amusé) : Ce que tu ne sais pas non plus, c'est que Lou a suivi des cours cet été.
JP : Pour vrai ?

Moi : Non !

Steph : Oui, oui. Et je vous jure qu'elle est super douée.

JP : Ben là ! Je veux une autre démonstration !

Moi : Pas question.

Seb (en faisant signe à Carlos) : Carlito ! Ta partenaire veut une autre danse !

Moi (paniquée) : Mais qu'est-ce que vous faites ?

JP : On s'amuse ! Allez ! Va nous montrer ce que tu sais faire.

Carlos s'est précipité vers moi et il m'a une fois de plus entraînée vers la petite piste de danse. Il a alors fait signe à l'orchestre, qui s'est mis à jouer une salsa endiablée. Comme tu sais que je n'ai aucune coordination, tu peux t'imaginer la honte que j'ai ressentie en essayant de me dandiner. J'étais aussi élégante qu'un dix-huit roues ! Quand la chanson a finalement pris fin, j'ai regagné la table en titubant et mes amis m'ont accueillie en applaudissant.

Moi : Je vous déteste.

Seb : Arrête ! T'étais super bonne !

Steph (en me faisant un clin d'œil) : Une vraie pro !

JP (en regardant derrière moi) : Je vois quelqu'un que je connais. Je reviens dans deux minutes.

Seb : Je vais en profiter pour aller aux toilettes.

J'étais contente de me retrouver seule avec Steph.

Moi (en lui donnant un coup de coude) : C'est quoi, l'affaire ? Je n'ai jamais suivi de cours de salsa de ma vie. Pourquoi t'as fait ça ?

Steph (en riant) : Pour me venger ! Comme tu m'utilises pour te rapprocher de JP et que tu me places dans une position inconfortable avec Seb, je me suis dit que j'aurais au moins un peu de *fun* à te voir souffrir.

Moi (d'un air faussement offensé) : Ah ! T'es tellement cruelle !

Steph : Et avec Laurie, on s'est promis de tout faire pour te décoincer.

Moi : Hein ?

Steph : Je sais que tu tiens à reprendre avec JP, mais il faut que tu restes naturelle, Lou ! Comme t'as l'air aussi détendue qu'un dromadaire dans une tempête de neige, j'ai décidé de te donner un coup de main.

Moi : Et ta solution c'est de me faire danser comme une dinde ?

Steph (d'un air satisfait) : Exactement.

Je lui ai fait une grimace et j'ai tourné la tête pour voir ce qui retenait JP. Il était en train de rigoler avec deux fausses blondes.

Moi (d'un ton agressif) : C'est qui, *elles* ?

Seb : Des filles dans la classe de JP.

J'ai sursauté. Je ne m'étais pas rendu compte qu'il avait regagné la table.

Moi (en rougissant) : Ah, OK. Je... Je me posais juste la question parce que je ne les connais pas. Ça peut être dangereux de parler à des inconnues.

Seb (en souriant) : C'est correct, Lou. Elles ont le droit de te gosser.

JP est revenu avant que je puisse me défendre. Nous avons commandé nos plats et les gars nous ont décrit tous les bienfaits du cégep pendant près d'une heure. J'ai quant à moi essayé d'analyser l'attitude de JP, mais je n'arrivais pas à déterminer s'il était sincèrement heureux d'être passé à une autre étape ou s'il s'ennuyait de son ancienne vie.

À la fin du repas, Seb a proposé à Steph de la raccompagner en voiture.

Steph : C'est correct. Je peux marcher avec Lou.

Je lui ai fait de gros yeux. Si je partais avec elle, je n'aurais pas la chance d'être seule avec JP.

Seb (en percevant mon mécontentement) : J'ai l'auto et il fait froid. Tu viens, un point c'est tout.

Moi (en essayant de découvrir la nature de ses plans futurs) : Et toi, JP, rentres-tu chez toi ?

JP : En fait, je suis censé rejoindre Thomas chez Sarah.

Moi (du tac au tac) : On va dans la même direction. Est-ce que ça te tente qu'on marche ensemble ?

JP (un peu surpris) : Euh, OK.

J'ai senti la nervosité dans sa voix. Ça m'a rassurée.

J'ai dit au revoir aux deux autres et je suis sortie en compagnie de mon ex. J'avais les mains moites et mon cœur battait très fort.

JP (en brisant la glace) : C'était cool de se revoir, ce soir.
Moi : Mets-en. J'aimerais ça qu'on le fasse plus souvent.

JP m'a interrogée du regard.

Moi : Ce que je veux dire, c'est que tu as été... tu es une personne importante pour moi, et je trouve ça plate que tu ne sois plus dans ma vie.
JP (en me regardant) : C'est pareil pour moi.

Je sentais la tension monter.

Moi : Je sais qu'on a jamais essayé ça dans le passé, mais crois-tu qu'on pourrait essayer d'être amis ?

JP a réfléchi quelques instants.

JP : Peut-être...
Moi : Qu'est-ce qui te fait hésiter ?

JP : On a tellement vécu de choses ensemble, Marilou...
Penses-tu vraiment qu'on puisse jaser et passer du
temps ensemble comme si de rien n'était ?

J'ai eu envie de lui répondre que non. Que la meilleure
chose à faire était de s'embrasser et de reformer un
couple au plus vite, mais je savais qu'il était préférable
de suivre mon plan de match.

Moi : Je pense que ça vaut la peine d'essayer. Les mois
ont passé. Tu as changé, j'ai évolué. Je ne vois pas
pourquoi on ne gagnerait pas à se connaître à nouveau.

JP a semblé surpris par mon discours.

JP (en hochant la tête) : Tu as raison.

Nous étions maintenant rendus devant la maison de
Sarah.

JP : Veux-tu rentrer ?
Moi (en souriant) : J'ai changé, mais pas au point de
fraterniser avec le démon incarné.

JP a éclaté de rire.

Moi : Mais tu diras allo à Thomas pour moi.
JP : OK. On se reparle bientôt, alors ?

Moi (sans hésiter) : Ouais. Es-tu libre en fin de semaine ?

JP : Hum, j'ai un match de basket dimanche.

Moi : Je peux venir ?

JP (surpris) : Si ça te tente...

Moi : Je serai là.

On s'est toisés quelques instants. Je ne savais pas trop ce que j'étais censée faire.

Deux becs sur les joues ? Trop bizarre et impersonnel. Une accolade ? J'avais peur de ne jamais le lâcher. Une poignée de main ? Même pas besoin de t'expliquer pourquoi ce n'était pas une option.

JP a finalement tranché en m'embrassant sur le front. *Cute*, intime et protecteur. J'ai senti mon cœur fondre, et je suis rentrée chez moi plus déterminée que jamais.

Je vais essayer de dormir un peu, en espérant que JP apparaisse aussi dans mes rêves.

Lou xox

P.-S. : Monsieur Lafortune, c'est tellement gagnant comme nom ! Ha, ha, ha !

📱 20-09 17 h 44

Coucou, Poussin! J'ai passé la journée à m'entraîner avec Bianca et les autres et je ne sens plus mon corps!

📱 20-09 17 h 45

Moi, j'ai passé une heure à cuisiner (et manger) un gâteau au chocolat. Je me sens officiellement coupable!

📱 20-09 17 h 45

Si ça peut te consoler, on a mangé un gros sac de nachos que José avait apporté après notre entraînement.

📱 20-09 17 h 46

Wow. Maude lui a donné la permission de se joindre à vous?

📱 20-09 17 h 46

Non. Il lui a fait croire qu'il avait une fête de famille.

📱 20-09 17 h 47

C'est tellement sain comme relation. Vous avez eu du *fun*?

📱 20-09 17 h 47

Ouais, Bianca est une bonne *coach*. Mais revenons-en à toi : comment vas-tu, future mannequin ?

📱 20-09 17 h 48

Hein ? Ça sort d'où, ça ?

📱 20-09 17 h 48

C'est Bi qui m'a dit que tu allais participer à l'une de ses chorégraphies.

📱 20-09 17 h 48

« Bi » capote. Je ne vais certainement pas me ridiculiser de mon plein gré.

📱 20-09 17 h 49

Dommage. Tu serais tellement *cute* sur un podium !

📱 20-09 17 h 49

C'est gentil, mais je préfère m'occuper du bal.

📱 20-09 17 h 49

Parlant de ça, sais-tu qui fera partie du comité avec toi ?

▤ 20-09 17 h 49

Non. J'ai inscrit mon nom sur une feuille et j'ai reçu un courriel me disant que la première réunion aurait lieu mardi.

▤ 20-09 17 h 50

Tu aurais dû me le dire ; j'y serais allé avec toi. Il me semble que ça aurait été cool de faire une activité ensemble !

▤ 20-09 17 h 51

Désolée ! ☹ Je ne pensais pas que ça t'intéresserait.

▤ 20-09 17 h 51

Si ça signifie de passer plus de temps avec toi, c'est sûr que ça m'intéresse ! ;) D'ailleurs, est-ce qu'on peut dîner ensemble demain ?

▤ 20-09 17 h 52

Je ne peux pas ; j'ai ma première rencontre avec le journal. Demain soir ?

▤ 20-09 17 h 52

Impossible ; j'ai un travail à terminer en géo. Mercredi après les cours ?

📱 20-09 17 h 52

J'ai déjà promis à Alex de l'accompagner en ville. Il a besoin de refaire sa garde-robe, et il sait que le magasinage est mon sport préféré. Pourquoi pas mardi?

📱 20-09 17 h 53

J'ai un entraînement avec Bi.

📱 20-09 17 h 53

Bon... Parti comme c'est là, on devrait être capable de se croiser au party d'Halloween! ;)

📱 20-09 17 h 53

T'en fais pas, je vais te kidnapper d'ici là! Je dois aller mettre la table, mais j'ai hâte à demain pour te voir!

📱 20-09 17 h 54

☺ À demain!

À : Marilou33@mail.com
De : Léa_jaime@mail.com
Date : Mardi 22 septembre, 16 h 58
Objet : Ma destinée : Maude Ménard-Bérubé

Lou! Je ne sais pas si c'est l'approche de l'automne, la rentrée ou la dernière année de secondaire, mais il me semble que nos vies sont tellement pleines de rebondissements ces temps-ci qu'on aurait besoin de mises à jour quotidiennes pour ne pas perdre le fil!

Tu comprendras que les choses ne se sont pas calmées depuis que Bianca a été élue à la tête du comité du bal. Non seulement elle continue d'insister pour que je fasse partie de sa chorégraphie débile, mais elle passe maintenant par mes amis pour essayer de me convaincre. Tout a commencé hier midi quand je suis arrivée dans le local du journal.

Éric : Je suis content de vous retrouver cette année dans notre équipe. Comme trois de nos membres sont maintenant au cégep, nous sommes en pleine période de recrutement. N'hésitez donc pas à me donner vos suggestions.
Éloi : Léa, crois-tu qu'Olivier voudrait encore s'occuper de la chronique sportive ?
Moi : Euh... Pas cette année.

La vérité, c'est que je pense qu'Oli serait content d'écrire la chronique puisqu'il m'a clairement indiqué qu'il rêvait de faire une activité avec moi, mais j'ai envie que le journal demeure mon territoire. Avec mes doutes et mes milliards de remises en question, je ressens plus que jamais le besoin de préserver cette petite bulle.

Éric : Pas grave. Il y a déjà deux gars de secondaire 4 qui veulent s'en occuper. Dans un autre ordre d'idées, nous aurons besoin de quelqu'un pour aider Léa dans la section éditoriale.

Moi (paniquée) : Hein ? Comment ça ?

Éric : C'est une bonne nouvelle, Léa ! J'ai réalisé que les élèves tripaient sur tes textes d'opinion, et c'est pourquoi j'ai voulu ajouter une autre chronique cette année.

Éloi : Et on a trouvé la perle rare pour l'écrire.

Moi : Pas Maude, toujours.

Éric : Plutôt vendre mon âme ! Non, Éloi m'a soumis un texte que l'une de ses amies avait écrit et j'ai trouvé ça génial.

Moi : Qui ça ?

Éloi : Bianca. Elle se joindra à nous à compter de la semaine prochaine.

Moi : Mais… êtes-vous sûrs qu'elle a assez d'expérience ?

Éloi : Mets-en ! Elle a écrit des dizaines d'éditoriaux dans son ancienne école et je te jure qu'elle est vraiment douée.

Moi : OK... Mais elle n'aura sûrement pas le temps ; elle s'occupe déjà du défilé de mode.

Éloi : Elle m'a assuré que ça ne causerait pas de problème. Parlant de ça, Léa, ce serait cool que tu nous parles de ton expérience personnelle dans tes chroniques.

Moi : Quelle expérience ?

Éloi : Celle du défilé ! Bianca m'a dit que tu participerais à l'une de ses chorégraphies.

Moi : Correction : elle me l'a offert, mais je n'ai jamais dit oui.

Éric (le regard illuminé) : Alors tu vas t'empresser de le faire ! Les lecteurs vont triper si tu leur décris ton expérience vue de l'intérieur !

Moi (voulant le convaincre) : Je pense que ça va plutôt les ennuyer.

Éric : Au contraire ! Toutes les filles de l'école rêvent de parader dans ce défilé !

Moi (en faisant la moue) : Pourquoi ne demandes-tu pas plutôt à Bianca de s'en occuper ? Après tout, elle est présidente du comité et elle est mille fois mieux placée que moi pour décrire le fonctionnement de tout ça.

Éric : Justement, son opinion risque d'être biaisée, alors que la tienne sera beaucoup plus intéressante. On te sort de ta zone de confort. C'est génial !

Au. Se.Cours.

Éloi : Léa, vois ça comme un genre de défi ! Tu seras notre agente d'infiltration !

Moi : Est-ce que ça veut dire que si je trouve l'expérience pathétique, je n'aurai pas à me gêner pour l'écrire ?

Éric (en acquiesçant) : On te donne carte blanche.

La pression de mes camarades a fini par me faire céder, mais j'étais d'humeur plutôt massacrante en sortant de la réunion.

Moi (en m'assoyant avec Jeanne et Katherine à la cafétéria) : OK, c'est officiel : la nouvelle me pompe l'air.

Jeanne : Qu'est-ce qui s'est passé ?

Moi : Elle s'est arrangée pour que je ne puisse pas dire non à son offre de participer à son défilé débile.

Katherine : Eille !

Moi : Désolée, Kath. Je ne voulais pas insulter ton projet. Ce n'est pas le défilé qui me gosse, c'est le fait qu'on me l'impose.

J'ai entendu Bianca qui riait derrière moi. Je me suis retournée et je l'ai aperçue qui dînait en tête à tête avec Alex.

Moi (en fronçant les sourcils) : Depuis quand est-ce qu'ils sont *bests*, eux ?

Jeanne : Ils s'entraînent ensemble et ils s'entendent bien.

Moi (en secouant la tête) : Ce n'est pas assez d'amadouer José avec son amour de l'exotisme, de séduire Oli avec ses grands discours sur le dépaysement et d'impressionner Éloi avec son expérience éditoriale ? Il faut en plus qu'elle éblouisse Alex avec ses talents sportifs ?

Jeanne et Katherine ont échangé un regard.

Jeanne : Léa ? Es-tu jalouse ?

Moi (en rougissant) : Non !

Les filles m'ont dévisagée.

Moi : Quoi ? Ce n'est juste pas évident de devoir travailler avec madame Je-sais-tout-faire. Et je ne comprends pas ce que les gars lui trouvent.

Katherine (en se mordant la lèvre) : Moi, oui. On s'est rencontrées en fin de semaine pour discuter du défilé, et j'ai réalisé qu'elle était vraiment drôle, généreuse et gentille.

Moi : Ah non ! Pas toi en plus !

Oli s'est alors joint à nous et m'a embrassée sur la joue.

Oli : Salut, Poussin. Ça va ?

Moi : Correct.

Oli (en se lovant contre moi) : Est-ce que je peux voler quelques minutes de ton temps avant que la cloche sonne ?

Moi (d'un air distrait) : OK. Je vais te rejoindre à ton casier dans cinq minutes.

Oli (en levant) : Super !

Olivier s'est éloigné et les filles m'ont regardée d'un drôle d'air.

Moi : Quoi ?

Jeanne : Qu'est-ce qui se passe avec Oli ?

Moi : Rien. Pourquoi ?

Katherine : T'as l'air un peu... distante, ces jours-ci.

Moi : C'est lui qui t'a parlé de ça ? Il me trouve trop indépendante ?

Katherine : Ben non ! Je suis ton amie avant tout, et Oli n'oserait jamais me dire ça.

J'ai regardé Jeanne d'un air incrédule.

Jeanne : Léa, c'est toi qui sais comment tu te sens. Nous, on fait juste te dire comment on le perçoit.

Moi (en me levant) : OK. Bon, je ferais mieux d'y aller.

J'ai rejoint Oli en réfléchissant à tout ça. La vérité, Lou, c'est que ma relation avec lui m'étouffe de plus en plus.

240

Si je me fie à la théorie de Jeanne, j'en conclus que ça n'augure rien de bon pour notre avenir amoureux.

Comme je n'avais pas la force d'aborder la chose avec lui, je me suis efforcée d'avoir l'air d'une blonde attentionnée, mais je t'avoue avoir ressenti un certain soulagement quand la cloche a sonné.

À mon retour chez moi, je me sentais épuisée. J'ai regardé la télé avec Félix, question de mettre mon cerveau à *off* pendant quelques heures.

Moi (pendant une annonce) : Alors, comment ça se passe avec Laure ?
Félix : Super bien.
Moi : Et ta vie sociale ?
Félix (en bâillant) : Elle se porte à merveille, elle aussi.

J'ai haussé un sourcil. Même si Félix avait repris certaines de ses activités depuis notre discussion de l'autre soir, je le trouvais encore trop mollusque à mon goût.

Moi : As-tu des plans en fin de semaine ?
Félix : Ouais. Je vais dans un party, et tu viens avec moi.
Moi (surprise) : Pour vrai ?
Félix : Yep. Pour une finissante, ta vie semble aussi palpitante qu'une partie de curling.

Moi : T'es mal placé pour parler.

Félix : Justement. On a tous les deux besoin de piquant.

J'ai acquiescé. Le stress des dernières semaines m'avait rendue irritable, et j'étais contente de pouvoir décrocher et de me défouler avec Félix.

Comme son offre m'avait redonné ma bonne humeur, j'étais très souriante en arrivant à l'école ce matin.

Alex (en courant vers moi à mon casier) : Salut, Poil de maïs ! Notre *date* de demain tient toujours ?

Moi : Oui ! Et j'ai hâte. J'ai l'impression qu'on ne se voit plus beaucoup, depuis la rentrée.

Alex (sarcastique) : Si tu ne passais pas tout ton temps avec ton chum, aussi.

Moi : Pff. N'importe quoi. Je blâmerais plus ta nouvelle blonde.

Alex : Quelle blonde ? Je suis célibataire et fier de l'être.

Moi (en désignant Bianca du menton) : Ta nouvelle *best*, alors.

Alex (d'un ton amusé) : Est-ce que mon Petit Rongeur serait jaloux de ne pas avoir toute mon attention ?

Moi : Pff ! Tellement pas.

Alex (en me chatouillant) : Allez ! Dis la vérité ! Ça t'énerve de ne pas faire partie de notre équipe d'athlétisme !

Moi (en me tordant de rire) : Ark ! Non !

J'ai repoussé Alex pour essayer de le chatouiller à mon tour, mais il a immobilisé mes bras derrière mon dos pour m'empêcher de bouger et il a approché son visage du mien.

Alex : Qu'est-ce que tu vas faire, maintenant ?

Moi : Me venger dès que je serai libérée.

Alex : Hum... Pour ça, il va falloir que je te lâche.

Moi : Qu'est-ce que tu veux ?

Alex : Que tu me dises qui est le plus beau gars du monde.

Moi (du tac au tac) : Liam Hemsworth.

Alex : Et de l'école ?

Moi (en pointant un gars de secondaire 1) : Euh... Lui ?

Alex (en plissant les yeux) : Tu es tellement orgueilleuse ! Pourquoi ne l'avoues-tu pas que je te fais craquer ?

On s'est fixés quelques instants. J'avais de la difficulté à déterminer s'il disait ça à la blague ou s'il était sérieux.

José (en s'imposant à notre droite) : Alex, Bi s'est mis dans la tête de nous faire courir cinq kilomètres en fin de semaine. Peux-tu lui dire qu'elle est folle ?

Alex a relâché son étreinte, et Bianca s'est approchée de nous.

Bianca : J'ai tout entendu, José Martinez ! Je ne suis pas « folle », je veux juste vous pousser un peu !

Son regard s'est ensuite tourné vers moi.

Bianca : Salut, Léa ! Je suis trop contente de travailler avec toi au journal. Ça va être vraiment cool.

Elle avait l'air sincère.

Moi : Je suis contente aussi.
Maude (en se plantant devant nous, les mains sur les hanches) : *Babe*, depuis quand tu fraternises avec *elles* ? T'as trois secondes pour partir d'ici avant que je saute ma coche.

José a roulé les yeux avant de suivre sa blonde.

Ce midi, j'avais ma première réunion du bal. Quand je me suis pointée au local de la rencontre, j'ai été étonnée d'y voir Annie-Claude.

Moi : Eille ! Je ne m'attendais pas à te voir ici !
Annie-Claude : Salut, Léa ! En fait, c'est moi qui suis à la tête du comité, cette année.
Moi : Trop cool ! Ça va être vraiment le *fun* de planifier le bal avec toi ! J'espère qu'on aura une belle équipe.

Annie-Claude : Ouais... Le problème, c'est que comme il n'y a eu que six inscriptions, j'ai été forcée d'accepter tout le monde.

Moi : OK... Est-ce qu'il y a des gens que tu redoutes ?

Annie-Claude a grimacé, mais quelqu'un a fait irruption dans le local avant qu'elle ne puisse répondre.

Voix désagréable : Ce n'est pas vrai ! Je ne vais pas être pognée pour travailler avec Léna la fermière ?

Maude. Évidemment.

Moi : Ton enthousiasme est réciproque, Maude.

Maude (en me dévisageant) : Une chance que je suis là, sinon, on risquerait de célébrer la fin de notre secondaire dans une ferme laitière.

Moi : Pourquoi tu ne t'impliques pas plutôt dans le défilé ? Ton opinion serait beaucoup plus pertinente, là-bas.

Maude : Penses-tu vraiment que je vais laisser Bianconne Gosselin-Gossante me donner des ordres ? J'aime autant venir ici et te faire suer jusqu'en juin.

À l'aide.

Les autres élèves inscrits se sont pointés à cet instant et la réunion a commencé.

Annie-Claude : Je vais avoir besoin de quelqu'un pour faire le tour des hôtels du centre-ville et dresser un tableau comparatif des différentes options.

Maude et moi avons levé la main en même temps.

Maude : Qu'est-ce que tu penses que tu fais, le microbe ? C'est *moi* qui vais gérer les hôtels.
Moi : Non. Je veux m'en occuper.
Maude : Tu débarques de la campagne et t'as grandi avec des chèvres. Tu n'es vraiment pas équipée pour trouver un endroit adéquat.

Les autres ont étouffé un rire. Misère.

Moi : Et moi, je ne crois pas que tes goûts de riche nous avancent à grand-chose. On a un budget à respecter.

Nos yeux se sont tournés vers Annie-Claude pour qu'elle tranche au plus vite.

Annie-Claude : Vous ne serez pas trop de deux sur le dossier.
Moi : Ça veut dire quoi, ça ?
Annie-Claude : Que vous formerez une équipe.
Maude : Ark ! Avec elle ? Jamais.
Annie-Claude : C'est ça ou rien.

Maude a soupiré et a ramassé ses affaires.

Maude : Je ne peux pas croire que je vais organiser le bal de mes rêves avec une agricultrice qui sent le radis pourri.

Moi (en posant mon sac sur mon épaule) : Et moi, je ne peux pas croire que je dois collaborer avec la reine des cruches.

Nous sommes toutes les deux sorties du local pour tomber nez à nez avec Bianca qui tenait Alex par le bras tout en rigolant avec José. J'ai grimacé. Mon regard a croisé celui de Maude, qui semblait bouillir à l'intérieur.

Maude : Ne fais pas cette face-là, tête de bœuf. Ce n'est pas parce que Bianconne me tape sur les nerfs que tu me gosses moins pour autant.

J'ai secoué la tête d'un air exaspéré. Non seulement je suis forcée de participer à un défilé bidon et de partager ma chronique avec la nouvelle coqueluche de l'école, mais voilà en plus que je dois organiser le bal des finissants avec ma pire ennemie. Vive le secondaire 5 !

Léa xox

Chapitre 6 :
Colonel Moutarde

À : Léa_jaime@mail.com
De : Marilou33@mail.com
Date : Mercredi 23 septembre, 20 h 58
Objet : Basket et billard

Salut !

Je m'excuse de ne pas t'avoir écrit avant. Comme tu le disais toi-même, nos vies sont tellement intenses ces temps-ci qu'on aurait besoin d'être branchés constamment sur le quotidien de l'autre pour suivre tous les développements. Avoue que ce serait génial de pouvoir être dans une sorte de téléréalité qui nous permettrait d'être connectées continuellement !

Bon, j'arrête de délirer et je plonge tout de suite dans le vif du sujet : Léa, mon plan semble fonctionner ! Dimanche midi, je me suis pointée avec Laurie au gymnase du cégep de JP. J'avais aussi invité Steph, mais comme Seb fait également partie de l'équipe, elle a préféré s'abstenir.

Moi (en m'assoyant dans les estrades) : Merci de m'accompagner, Laurie. Ta présence me donne de l'assurance.

Laurie (en souriant) : Maintenant que tu as repris le contrôle de ton hygiène personnelle, ça me fait plaisir d'appuyer ta démarche.

Je lui ai fait une grimace.

Moi : Est-ce que ton chum aime le basket ?

Laurie : Mets-en ! Il était même censé venir voir le match avec nous, mais il s'est blessé à la cheville alors il préférait rester chez lui.

Moi : Ça doit être *tough* pour un sportif comme lui.

Laurie : Ouais. Ça le rend un peu grognon, mais le médecin lui a dit qu'il pourrait reprendre ses entraînements de football dans deux semaines.

Moi (en écarquillant les yeux) : OH ! JP vient d'arriver sur le terrain !

Voix stridentes à ma droite : GO, JP, GO ! T'ES LE MEILLEUR !

Les cruches teintées, évidemment.

Voix stridentes : ON EST AVEC TOI, JP !

Laurie (en grimaçant) : Arg. Je ne m'attendais pas à les voir ici.

Moi : Tu connais le dicton : groupies un jour, groupies toujours.

Sarah m'a dévisagée de loin, et le match a commencé. Comme je n'avais jamais vraiment assisté à une partie complète, je ne m'attendais pas à ce que ce soit aussi long. Laurie a essayé de m'expliquer les règlements à trente-six reprises, mais sans succès. Mon attention était rivée sur JP et sur ma stratégie. Il fallait que j'arrive à lui parler après le match avant que les cruches ne l'accaparent.

Quand la sonnerie a finalement annoncé la fin du quatrième temps (ou période ? Ou demie ?), Laurie m'a appris que l'équipe de JP avait gagné et je me suis précipitée sur le terrain pour le féliciter.

Moi : Bravo ! Belle victoire !

JP (en me souriant) : Eille ! T'es vraiment venue !

Moi : Ben oui. Je tiens mes promesses ! Je me suis dit que j'avais du rattrapage à faire.

JP : Alors, t'as aimé le match ?

Moi : Ouais. C'était super. T'as compté de beaux buts.

JP et Laurie m'ont regardée avec un air amusé.

Moi : Quoi ?

Laurie : Au basket, on ne compte pas des buts, on fait des paniers.

Moi : Bah, même affaire.

JP : Et vous avez prévu quoi pour le reste de la journée ?

S'apprêtait-il à me lancer une invitation ?

Moi : Rien. Je suis libre comme l'air.

Laurie (en toussotant) : Moi, j'ai promis à Jonathan d'aller le rejoindre chez lui.

Quelle bonne amie ! Elle s'arrangeait pour me laisser seule avec JP.

Moi (en le regardant, pleine d'espoir) : Et toi ?
JP : Rien de spécial. Si tu veux, on pourrait aller se promener, ou alors...
Moi (en m'empressant de répondre) : Ça me tente !
Une voix extrêmement gossante : JP ! T'étais *trop* bon !

Géraldine s'est ruée vers lui pour le serrer dans ses bras, suivie de près par Sarah, Odile et Emmy.

JP : Merci, les filles.
Sarah : Va donc te changer ! Thomas nous attend chez lui. Sa mère n'est pas là, alors on improvise un petit party.
Odile (en me dévisageant comme si j'étais une carcasse puante) : Un party privé, évidemment.

Elles m'irritaient au plus haut point. Je me suis croisé les doigts pour que leur proposition ne change pas nos plans.

JP : Je vous rejoindrai plus tard. J'ai déjà prévu quelque chose avec Marilou.
Sarah (en grimaçant) : Ark.
Moi (en souriant d'un air satisfait) : Je t'attends dehors, JP. Ça sent trop le peroxyde, ici.

J'ai tourné les talons et je suis sortie avec Laurie.

Laurie (en claquant des mains) : *OMG!* Tu aurais dû voir la face des cruches quand JP leur a dit qu'il les *flushait* pour toi !

Moi : Ça me rassure. Ça prouve qu'elles ne lui ont pas trop lavé le cerveau.

Laurie : JP n'a jamais été du genre à se faire influencer, Lou.

Moi : T'as raison.

Laurie : Bon, je vais y aller avant qu'il sorte. Tu me donnes des nouvelles dès que tu peux ?

Moi : Promis.

Laurie est partie, et JP m'a rejointe une quinzaine de minutes plus tard.

Moi : Salut !

JP : Salut, nouvelle amie ! On fait quoi, alors ?

Moi : Es-tu assez en forme pour te faire battre au billard ?

JP (en riant) : T'es toujours aussi sûre de toi, à ce que je vois !

Moi : Yep ! C'est une facette de ma personnalité que je m'efforce de ne pas perdre.

On s'est rendus jusqu'à la salle de billard et on a joué trois parties de suite. La conversation coulait super bien et j'étais surprise de voir qu'il n'y avait aucun malaise entre nous. Il m'a parlé un peu de son programme, et je lui ai raconté les grandes lignes de mon été, en plus de lui donner des nouvelles de ma famille. J'ai évidemment pris soin de préciser que Zak s'ennuyait beaucoup de lui.

JP : Il me manque aussi.

Moi (en souriant) : Pourtant, t'étais le premier à chialer quand on l'avait dans les pattes !

JP : Ça, c'est parce que ton frère avait la fâcheuse habitude de se pointer dans les pires moments !

Moi : Ouais, mais il a vieilli. Il est moins *needie* qu'avant.

JP : Je serais curieux de le revoir.

Moi (en sautant évidemment sur l'occasion) : Alors pourquoi ne viens-tu pas chez nous, vendredi ?

JP (surpris) : Euh... T'es sûre ?

Moi : Ben oui ! Ma mère a une soirée, alors on pourra gosser dans le salon ou regarder un film tous les trois.

JP : Bon... OK !

Moi : Il y a juste un petit détail que tu dois savoir.

JP : Quoi ?

Moi : Zak ne sait pas que tu... ben... qu'on a cassé.

JP (surpris) : Hein ? Comment ça ?

Moi : Comme la séparation de mes parents a été dure pour lui, je ne voulais pas l'achever en lui annonçant la fin de notre couple. Je sais que c'est bizarre, mais j'ai fait ça pour le protéger.

JP : OK. Mais si je viens chez vous, est-ce que ça veut dire qu'on doit, genre, faire semblant d'être ensemble ?

Wow. Voici un plan génial qui me tombait du ciel sans même que j'aie eu à y réfléchir.

Moi (en m'efforçant d'avoir l'air d'une fille hyper mature et nonchalante) : C'est sûr qu'idéalement, je préférerais le ménager pendant encore quelques semaines, mais je ne voudrais surtout pas t'imposer ça, si tu ne te sens pas à l'aise...
JP (en haussant les épaules) : Bof, ça devrait aller. Après tout, pas besoin de se *frencher* à pleine bouche pour éviter de lui dire la vérité.

Je n'étais pas du même avis.

Moi : Ouais, mais il ne faudrait quand même pas avoir l'air trop distants. Sinon, il va se douter de quelque chose. Rappelle-toi que j'étais du genre plutôt pot de colle quand on sortait ensemble.
JP (en haussant un sourcil) : Je ne m'en suis jamais plaint.

J'ai souri. C'était l'une des premières fois de la journée qu'on faisait référence à « avant ».

JP (en consultant son cellulaire) : Oups. J'ai raté cinq appels.

Moi : Laisse-moi deviner : Sarah, Emmy, Odile, Géraldine et Thomas ?

JP : Tu as visé juste pour les quatre premières, mais tu t'es trompée sur le dernier, c'est Seb qui m'a appelé.

Moi (sans réfléchir) : Il voulait sûrement savoir si Steph était avec nous.

JP (en rougissant un peu) : Euh, pourquoi tu dis ça ?

Moi : Ben... J'ai comme remarqué qu'il avait l'air encore amouraché d'elle. Est-ce que je me trompe ?

JP : Ouin. Il a un peu de difficulté à passer à autre chose.

Moi (entre mes dents) : Qui suis-je pour le juger ?

JP : Il va falloir que j'y aille.

Moi : Pas de trouble. Mon père m'attend, de toute façon.

JP : Mais on se revoit vendredi ?

Moi : Sans faute !

On s'est séparés à la sortie de la salle de billard. Cette fois-ci, JP s'est contenté d'un petit signe de main pour me dire au revoir. J'étais évidemment déçue, mais je me suis efforcée de le cacher.

Lundi midi, je lui ai envoyé un SMS pour parler contre ma prof de français. (Il a eu la même l'année dernière et le courant ne passait pas super bien entre eux. La vérité, c'est que je la trouve assez sympathique, mais que j'avais besoin d'un prétexte pour briser la glace et rester en contact avec lui.) Il m'a répondu quelques minutes plus tard, et on se texte sans arrêt depuis. Nos conversations demeurent assez légères, mais je sens dans son ton et dans ses relances qu'il est lui aussi heureux d'avoir retrouvé notre vieille complicité.

En attendant, je compte pratiquement les minutes jusqu'à vendredi soir. J'assiste à mes cours de peine et de misère, car mes pensées sont obnubilées par JP. Mais pour la première fois depuis des mois, ça ne me rend pas triste de songer à lui ! ☺

Et toi ? Quoi de neuf dans le monde des comités ? C'est vrai que ton année s'annonce intense, mais je t'avoue que j'aurais presque trouvé ça plate que ton secondaire se termine sans mésaventures impliquant les nunuches. Là, on peut dire que t'es vraiment servie ! Je sais que tu appréhendes la présence de Maude, mais j'ai espoir que sa haine pour Bianca atténue un peu son animosité envers toi. Parlant de la nouvelle, je n'arrive pas à décider si je dois l'aimer ou la détester. Elle semble sincère et foncièrement gentille, mais je comprends que ses multiples talents te tapent sur les nerfs !

Pour ce qui est d'Oli, je ne mettrai pas de gants blancs, Léa ; votre avenir amoureux s'avère assez précaire. Ça fait presque six mois que vous sortez ensemble, et je crois que si tu avais eu à tomber follement amoureuse de lui, ce serait déjà fait. Je sais qu'il est le chum parfait « sur papier », mais tu ne peux pas contrôler tes sentiments et te forcer à ressentir une passion qui n'est pas là. Évidemment, je ne suis pas ici pour te mettre de la pression, je veux simplement que tu évites de jouer à l'autruche jusqu'au bal des finissants.

Je dois filer, car j'ai deux devoirs à terminer et un entraînement de natation à sept heures demain matin, mais j'ai très hâte de lire la suite du téléroman qu'est devenue ta vie ! ☺

Lou xox

Vendredi 25 septembre

17 h 22

Marilou (en ligne): S.O.S. Dis-moi que tu es vraiment en ligne!

17 h 23

Léa (en ligne): Je suis là! Que se passe-t-il?

17 h 23

Marilou (en ligne): JP doit se pointer d'une minute à l'autre et je ne sais pas quoi mettre!

17 h 23

Léa (en ligne): Ben là! Tu as une toute nouvelle garde-robe. T'as l'embarras du choix!

17 h 24

Marilou (en ligne): Ouais, mais on dirait que rien ne fonctionne et que peu importe ce que j'enfile, je me sens comme un hippopotame plein de pustules!

17 h 24

Léa (en ligne): Ark!

Marilou (en ligne): Je sais! AIDE-MOI!

Léa (en ligne): Comme il s'agit d'une soirée relaxe chez toi, tu dois opter pour une tenue confo, mais *cute*. Et comme JP préfère le look naturel, vas-y mollo sur le maquillage.

Marilou (en ligne): T'as raison. Des pantalons de jogging, est-ce que ça passe?

Léa (en ligne): Non, car ça envoie clairement un signal «comme tu n'es qu'un ami, je n'ai plus besoin de faire d'efforts pour t'impressionner». Tu sais que je suis une fan du linge mou, mais j'attendrais d'avoir récupéré JP avant d'opter pour ce look.

Marilou (en ligne): Alors, quoi? VITE LÉA! Je capote!!!

Léa (en ligne): Des leggings et ta nouvelle chemise à carreaux.

Marilou (en ligne): Ça ne fait pas trop bûcheronne?

Léa (en ligne): Juste assez!;)

Marilou (en ligne): OK, c'est bon. Je suis habillée. Fiou! Et toi, quoi de neuf?

Léa (en ligne): Je déprime à cause des résultats que j'ai obtenus lors de mes tests d'orientation.

Marilou (en ligne): C'est vrai! Ta rencontre avec monsieur Lafortune avait lieu aujourd'hui!

Léa (en ligne): Ouais. Et il est pas mal moins gagnant qu'on espérait.

Marilou (en ligne): Qu'est-ce que tu veux dire?

17 h 31

Léa (en ligne): T'as le temps que je te raconte?

17 h 31

Marilou (en ligne): Ouais. JP vient de me texter qu'il allait être un peu en retard, et j'ai besoin de me changer les idées, si je ne veux pas devenir complètement folle! Dis-moi tout.

17 h 32

Léa (en ligne): Au début, il m'a posé toutes sortes de questions sur mes préférences, mes forces et mes faiblesses. Il m'a aussi demandé où je me voyais dans dix ans, et je n'ai même pas su quoi lui répondre. Il m'a donc tendu ses deux questionnaires pour nous aider à cerner les programmes qui pourraient m'intéresser.

17 h 32

Marilou (en ligne): OK. Et?

Léa (en ligne): Après avoir passé près de quinze minutes à me faire poireauter, il m'a annoncé que j'avais un avenir... dans la gérance de ferme en production porcine.

17 h 33

Marilou (en ligne): NON !! Tu me niaises ?????

17 h 33

Léa (en ligne): Malheureusement pas. Je suis devenue écarlate et j'ai éclaté de rire. C'était nerveux et je n'arrivais plus à m'arrêter !

17 h 34

Marilou (en ligne): Et il a réagi comment, monsieur *Winner*?

17 h 34

Léa (en ligne): Il avait l'air satisfait. Il pensait que je riais de joie. Genre que grâce à lui, le chemin de mon avenir s'ouvrait devant moi ! Il a fallu que je lui explique que c'était le contraire et que j'avais besoin d'autres options. Tu ne devineras jamais ce qu'il m'a proposé !

Marilou (en ligne): Confectionneuse professionnelle de beignes?

17 h 35

Léa (en ligne): Pire: arboricultrice.

17 h 35

Marilou (en ligne): Ça mange quoi en hiver, ça?

17 h 36

Léa (en ligne): Ça cultive des arbres.

17 h 36

Marilou (en ligne): Je m'excuse, mais... Ha, ha, ha, ha, ha, ha, ha, ha, ha, ha, ha, ha, ha, ha, ha, ha, ha, ha, ha, ha, ha, ha, ha, ha, ha, ha, ha, ha, ha, ha, ha, ha, ha, ha, ha, ha, ha, ha, ha, ha, ha, ha, ha, ha, ha, ha!

17 h 37

Léa (en ligne): Je te pardonne. C'est tellement farfelu comme situation! Non seulement je suis perdue, mais voilà que l'homme dont le travail est de m'aider à trouver ma voie m'indique que je devrais revenir à mes origines, en prenant soin des cochons et en plantant des arbres. C'est Maude qui serait contente!

17 h 37

Marilou (en ligne): Je m'excuse, Léa. Je pensais sincèrement que l'orienteur allait pouvoir t'aider.

17 h 38

Léa (en ligne): Bof, je pense que je suis une cause désespérée.

17 h 38

Marilou (en ligne): Tellement pas! Si je suis capable de revenir des ténèbres pour reprendre le dessus sur mon apparence et récupérer JP, tout est possible.

17 h 38

Léa (en ligne): Merci. Ça m'encourage! ;)

Marilou (en ligne): Qu'est-ce que tu fais ce soir?

17 h 39

Léa (en ligne): Rien. Les gars ont une soirée de hockey, Jeanne a un party de famille et Katherine est malade.

17 h 40

Marilou (en ligne): Pas sûre que ce soit sain que tu restes seule chez toi...

17 h 40

Léa (en ligne): Mes parents sont là, alors je regarderai sûrement un film avec eux.

17 h 40

Marilou (en ligne): Et Félix?

17 h 41

Léa (en ligne): Il parle avec Laure depuis deux heures, mais comme il m'a invitée dans un party demain soir, je me dis qu'il y a peut-être espoir que les Olivier retrouvent un semblant de vie avant de se métamorphoser officiellement en navets.

Marilou (en ligne): J'ai confiance en votre potentiel! Au fait, tu ne m'as jamais raconté ta virée magasinage avec Alex.

17 h 42

Léa (en ligne): C'était vraiment cool! On a fait le tour de quelques boutiques, puis comme il faisait beau, on a décidé de marcher pour rentrer. On a traversé le campus de McGill et on s'est baladés dans les rues du Plateau-Mont-Royal en parlant de tout et de rien. Comme j'ai passé une partie de la semaine à me casser la tête à propos de Maude, de Bianca, du défilé, du journal et d'Oli, ça m'a vraiment fait du bien de décrocher et de niaiser avec lui.

17 h 43

Marilou (en ligne): Hum... Ce n'est pas censé être le rôle de ton chum, ça?

17 h 43

Léa (en ligne): Je décide d'ignorer ta question.;)

17 h 44

Marilou (en ligne): De toute façon, JP vient d'arriver. Sauvée par la cloche!

17 h 44

Léa (en ligne): Tu le remercieras pour son super *timing*! Bonne chance, Lou! Amuse-toi bien et appelle-moi s'il y a quoi que ce soit!

17 h 44

Marilou (en ligne): Promis! Je t'aime! xox

À : Marilou33@mail.com
De : Léa_jaime@mail.com
Date : Dimanche 27 septembre, 08 h 28
Objet : Résumé matinal

Salut !
Je crève d'envie de t'appeler pour te raconter ce qui s'est passé hier, mais comme j'ai peur que mon réveil trop matinal te pousse à me renier, je préfère opter pour le courriel.

Comme tu le sais, j'avais prévu accompagner Félix dans un party organisé par ses amis du cégep. J'étais tellement énervée que j'ai invité les filles à venir chez moi pour m'aider à me préparer.

Katherine (en pliant l'un de mes chandails) : T'es tellement chanceuse que ton frère puisse te trimballer dans ce genre d'événement.
Moi : Il faut bien qu'il y ait des avantages à l'avoir dans les pattes.
Jeanne (en me tendant une jupe) : Moi, je suis surtout contente de voir qu'il est encore capable de se doucher et de sortir de sa caverne de mouches.
Moi : Ça, ça reste à voir.

Mon cellulaire a sonné, et Katherine me l'a tendu.

Moi : Est-ce que c'est Marilou ? J'attends des nouvelles de sa soirée avec JP.

Katherine : Non, c'est Oli.

Moi (en me retournant vers le miroir) : Ah. Je le rappellerai plus tard.

Les filles sont restées silencieuses, mais je sentais leurs regards sur moi.

Moi (en me retournant vers elles) : Bon, qu'est-ce qui se passe, encore ?

Jeanne : On n'a rien dit !

Moi : Non, mais je vous entends penser. Je ne suis pas en chicane avec lui, si c'est ce qui vous préoccupe.

Katherine : Alors... pourquoi tu ne réponds pas ?

Moi : Parce que c'est impoli de parler au téléphone quand j'ai des invitées. De toute façon, il sait que je suis avec vous. Je le rappellerai demain.

J'ai fini de me préparer et les filles ont soupé chez moi. Félix et Zack se sont aussi joints à nous, et comme mes parents nous avaient laissé de l'argent, j'ai commandé une pizza avant que l'ami granola de mon frère ne se lance dans des expériences culinaires.

Moi : C'est où, le party ?

Zack : Chez un ami d'Édith.

Moi : Est-ce que les animaux sont permis ?

Zack : Euh, je ne sais pas. Pourquoi ?

Moi : Parce que j'ai peur que les gens confondent Félix avec un cochon d'Inde à poils longs.

Félix (en roulant les yeux) : C'est bon, j'ai compris. Je vais aller me raser.

Katherine : Et moi, je vais rentrer.

Jeanne : Je te suis.

Moi : Vous ne voulez pas rester ? Je pourrais essayer de convaincre Félix de vous faire inviter à la fête !

Katherine : C'est gentil, mais je suis encore trop grippée.

Jeanne : Et moi, j'ai un tournoi de tennis demain matin.

J'ai dit au revoir aux filles et j'ai attendu Félix qui a réapparu près de vingt minutes plus tard. Même si ses cheveux étaient toujours aussi hirsutes et que son choix vestimentaire (vieux jean troué et t-shirt de Maya l'abeille) laissait à désirer, j'étais soulagée de voir qu'il s'était bel et bien rasé.

Zack nous a conduits jusqu'à la fête, qui avait lieu à Westmount, un quartier de la ville vraiment huppé où je vais rarement.

Moi (en observant la maison devant laquelle on venait de se garer) : Wow. Je me sens vraiment dépaysée.

Zack : Et moi donc. Je ne comprends pas pourquoi les gens ont besoin d'autant de flaflas pour être heureux. La société nord-américaine véhicule parfois des idéologies tellement superficielles...

Félix et moi avons échangé un regard complice, puis nous avons fait semblant de nous endormir.

Zack (en roulant les yeux) : C'est bon, j'ai compris. Je vais aller me défouler avec des gens qui ont une meilleure écoute que vous.

L'intérieur de la maison était à l'image du reste. Les imposantes colonnes blanches, l'immense escalier en colimaçon et le chandelier en cristal qui ornait l'entrée donnaient l'impression d'être dans un manoir.

Félix est allé saluer l'hôte de la soirée, qui s'appelait Guillaume.

Félix : Guillaume, je te présente ma sœur Léa.
Guillaume : Enchanté, Léa. Fais comme chez toi !

J'ai décidé de suivre son invitation à la lettre et de faire le tour de sa demeure. Je suis d'abord tombée sur une grande pièce sombre où des centaines de livres étaient entassés.

Moi (entre mes dents) : Le colonel Moutarde avec la clé anglaise dans la bibliothèque.
Une voix derrière moi : Cherches-tu quelque chose ?

Je me suis retournée et j'ai aperçu Adam qui me regardait d'un air amusé.

Moi (en rougissant) : Eille, salut ! Je faisais juste, euh, explorer.

Adam : Décidément, on a le don de se croiser dans des endroits un peu *random*.

Moi (en faisant semblant de comprendre sa remarque) : Euh, ouais. Es-tu venu avec ta sœur ?

Dis non.

Lui : Non. Marianne avait une soirée de filles.

Un party de nunuches. Wouhou !

Lui (en jetant un coup d'œil à la pièce) : C'est vrai que cette bibliothèque donne un peu des frissons, hein ?

Moi : Ouais. On se croirait dans *Clue*.

Il a souri.

Moi : Tu connais Guillaume ?

Lui : Ouais. Il est un peu plus jeune que moi, mais on a eu des cours ensemble au cégep, l'an dernier.

Moi : Et que fais-tu, maintenant ? T'es rendu à l'université, non ?

Lui : Ouais. C'est tellement différent comme ambiance.

Moi : T'étudies en quoi ?

Lui : En littérature comparée. J'ai l'impression que le programme a été conçu pour moi !

Moi : Wow. C'est cool !

Lui : Ouais. Et comme j'aimerais devenir prof, je devrai sûrement m'inscrire à la maîtrise. Toi, toujours aussi passionnée d'écriture ?

Moi : Euh, ouais. Je fais partie du journal de l'école.

Lui : Cool ! Écris-tu encore pour le plaisir ?

J'ai réfléchi quelques secondes.

Moi : Est-ce que les longs courriels à ma *best* comptent ?

Il a secoué la tête en souriant.

Lui : Ça m'étonne ; il me semble que l'été où je t'ai connue, tu ne faisais que ça !

Je suis restée songeuse.

Moi (en me sentant étrangement coupable) : J'avoue que j'ai un peu délaissé tout ça au cours de la dernière année.

Lui (en essayant de me réconforter) : Je ne pas dis ça pour que tu te sentes mal ! C'est juste que je trouve ça un peu dommage, car je me souviens que tu avais vraiment du talent. Tu m'avais beaucoup impressionné dans notre atelier d'écriture, alors je t'encourage à continuer.

Moi (en rougissant) : Merci.

J'ai entendu quelqu'un toussoter derrière nous.

Moi (en me retournant et en écarquillant les yeux) :
OLI ? Qu'est-ce que tu fais ici ?

Oli : Euh, je pourrais te poser la même question ! Tu ne m'avais pas dit que tu passais la soirée avec les filles ?

Moi : Non. Je t'ai dit qu'elles venaient faire un tour chez moi.

Oli : Comment as-tu atterri ici ?

Moi : Je suis venue avec mon frère et Zack.

Adam (en tendant la main à Olivier question de détendre l'atmosphère) : Salut. Moi, c'est Adam.

Oli (d'un ton un peu sec) : Je le sais. On s'est déjà croisés en ville, le printemps dernier.

Moi (en essayant de calmer ses suspicions) : Si tu te souviens bien, Adam est le frère de Marianne.

Adam (en me souriant) : Ainsi que l'ancien camarade de Léa.

Oli : Hein ?

Adam : On a participé au même atelier d'écriture.

Oli (en haussant un sourcil) : Léa ne m'a jamais dit ça.

Adam (en me souriant) : Pourtant, on a vraiment eu du *fun*, cet été-là !

Oli (d'un ton sarcastique) : Je n'en doute pas une seconde.

Je n'avais jamais vu Olivier réagir comme ça. D'habitude, il est tellement relaxe et social.

Moi (en essayant d'éviter toute confusion) : Ce qu'Adam veut dire, c'est qu'on composait de bons textes ensemble.

Il y a eu un moment de silence inconfortable.

Adam : Bon... Je vais vous laisser. Léa, j'espère qu'on se recroisera plus tard, car je n'ai pas fini mon *pep talk*.

Il s'est éloigné et Oli m'a regardée d'un drôle d'air.

Oli : Quel « *pep talk* » ?

Il a dit ça en faisant des signes de guillemets avec ses doigts.

Moi : Rien. Il m'incitait à continuer à écrire.
Oli : Il est donc bien intense avec sa pression.
Moi : Je pense qu'il voulait juste m'encourager, Oli.
Oli : Et moi, je pense qu'il te trouve de son goût.
Moi (en haussant un sourcil) : Coudonc, es-tu jaloux ?
Oli : Non. Je suis juste en colère.
Moi : Pourquoi ?
Oli : Parce qu'aux dernières nouvelles, on sortait ensemble, non ?
Moi : Euh, ouais.
Oli : Eh bien, dans mon livre à moi, une blonde et un chum sont censés se confier et être proches l'un de l'autre.

Moi : Pourquoi tu me dis ça ?

Oli (en éclatant) : Parce que tu es super bizarre depuis la rentrée ! C'est à peine si je te vois, tu ne prends même plus la peine de répondre à mes appels et je ne connais tellement pas ta vie que je tombe sur toi par hasard dans un party plate !

Moi : Je...

Oli (en m'interrompant) : Sais-tu pourquoi je suis ici, Léa ? Parce que ma sœur m'a forcé à l'accompagner quand elle a constaté que j'étais en train de m'imaginer des scénarios d'horreur.

Moi : Mais...

Oli (en continuant sa tirade) : Et comble de l'ironie : j'arrive ici, et je te surprends en train de te faire *cruiser* par un gars louche !

Moi : Adam ne me *cruisait* pas ! Il vient de te dire qu'on avait participé au même atelier d'écriture.

Oli : Et pourquoi tu ne m'en as jamais parlé ?

Moi (en haussant les épaules) : C'est arrivé avant même que je te rencontre, alors ç'a dû me sortir de la tête. Adam et moi partageons une passion, mais ça s'arrête là.

Oli : Ouais, mais apparemment, ç'a été un moment important pour toi, et ç'aurait été cool que tu le partages avec moi.

Moi (en baissant les yeux) : Désolée.

Oli (sans porter aucune attention à mes excuses) : Ça fait des semaines que je me ronge les sangs et que je me sens coupable.

Moi (surprise) : Comment ça ?

Oli : Je ne suis pas con, Léa. Je le vois bien que tu t'éloignes de moi. Au début, j'ai pensé que c'était de ma faute. Je me suis donc excusé pour le truc de la France et j'ai été super patient avec toi en me répétant que tu avais sûrement juste besoin d'espace. Mais là, je suis tanné.

J'étais sonnée. Non seulement je ne m'attendais pas à tomber sur lui, mais je ne pensais jamais qu'il m'affronterait à propos de mon attitude.

La vérité, c'est qu'il avait complètement raison. J'avais été égoïste et j'avais agi comme une ingrate avec lui. Mon incertitude et mes doutes m'avaient poussée à le traiter de façon injuste et je l'avais tenu pour acquis sans trop me préoccuper de la façon dont il pouvait se sentir.

Je l'ai regardé et j'ai senti les larmes me monter aux yeux.

Moi (la lèvre tremblotante) : Je m'excuse, Oli. Tu as raison. Je n'ai pas été correcte avec toi.

Il a semblé étonné par ma réaction. J'ai vu son regard s'adoucir.

Lui : Je disais pas ça pour... Je ne voulais pas te faire pleurer.

Moi : Ce ne sont pas tes paroles qui me rendent triste. C'est la façon dont je t'ai traité. Tu mérites tellement mieux que ça.

Lui (en baissant les yeux) : L'important, c'est que tu t'en rendes compte.

Son discours avait effectivement eu un impact sur moi, mais je ne crois pas que ma conclusion était celle qu'il espérait.

Moi (en le regardant d'un air triste) : Je pense que c'est mieux qu'on termine ça là, Oli.

Il m'a regardée d'un air surpris.

Oli : Quoi ?

Moi : Je suis mélangée, et je n'ai aucun droit de te faire vivre ça. Tu es le gars le plus *sweet* et le plus attentionné que je connaisse, et je ne veux pas abuser de ta bonne foi.

Oli (en s'approchant de moi) : Si tu traverses une période difficile, je veux être là pour toi, Léa.

Moi : C'est gentil, Oli, mais je pense que c'est mieux si je vis ça toute seule.

Oli : Tu ne m'aimes pas, c'est ça ?

Moi : Ben oui, je t'aime.

Oli : Ouais, mais tu n'es pas *en amour* avec moi.

J'ai baissé les yeux. Ça ne servait à rien de lui mentir.

Oli : C'est bon. J'ai compris.
Moi (en m'avançant vers lui) : Je m'excuse tellement, Oli. Tu ne sais pas à quel point je voudrais ressentir... quelque chose de plus.
Oli : On ne peut pas forcer ces choses-là.
Moi : Je sais.

Il a soupiré. Je sentais qu'il refoulait ses larmes.

Oli (en secouant la tête) : Je me sens con.
Moi : Pourquoi ?
Oli : Parce qu'après tout ce qu'on a vécu, je croyais sincèrement que notre relation était solide.
Moi (les yeux pleins d'eau) : Moi aussi, Oli. Et je n'ai jamais souhaité que ça évolue comme ça.

Olivier est resté songeur quelques secondes, puis il a poussé un soupir en secouant la tête.

Moi : Quoi ?
Oli : C'est quand même poche que la première fois que je tombe follement amoureux d'une fille, ce ne soit pas réciproque.

J'ai fermé les yeux. Je n'avais rien à ajouter. De toute façon, aucune parole ne pouvait réparer les pots cassés.

Oli : Je vais y aller.

Moi : Attends...

Oli : Quoi ?

Moi : Je le sais que tu as toutes les raisons du monde de me détester, mais...

Oli (en m'interrompant) : Je ne te hais pas, Léa. Je t'aime. C'est ça, le problème.

Moi : J'espère juste qu'un jour, on pourra être amis.

Oli : Pour ça, je vais avoir besoin de temps.

Moi : Je sais.

Il a esquissé un petit sourire triste et il est parti. J'ai poussé un long soupir et je me suis laissée choir dans l'un des fauteuils de la bibliothèque. J'y suis restée pendant près de trente minutes. Les paroles d'Adam et d'Olivier résonnaient en boucle dans ma tête.

C'est finalement le rythme de la musique et les rires provenant de l'une des quarante-six chambres de la maison qui m'ont fait reprendre contact avec la réalité.

J'ai fait le tour de quelques pièces avant d'apercevoir mon frère qui rigolait avec des amis. Ça me faisait du bien de le voir s'amuser comme avant.

Moi (en lui tapant l'épaule) : Félix ? Je voulais juste te prévenir que je rentrais.

Lui : Comment ? C'est Zack qui t'a conduit ici.

Moi : Je vais appeler papa. Tu le connais : il adore jouer les héros et il se fera un plaisir de venir me chercher.

Lui : T'es sûre ? Il me semble qu'on vient juste d'arriver.

Moi : Je sais, mais j'ai déjà une surdose d'émotions.

Lui : Je peux te raccompagner en taxi, si tu veux.

Moi : Non. Je ne veux pas casser ton *fun*.

Lui : OK. Bonne nuit, la sœur.

Comme de fait, mon père s'est réjoui de mon appel et m'a dit qu'il serait là dans moins de vingt minutes. J'étais justement en train de surveiller son arrivée par la fenêtre quand Adam est venu me voir.

Adam : Tu pars déjà ?

Moi : Ouais.

Adam : Ça s'est mal passé avec ton chum ?

Moi : Disons juste que *c'était* mon chum. Ça ne l'est plus.

Adam : Aïe. J'espère que ce n'est pas à cause de moi ; j'ai remarqué qu'il avait l'air un peu... méfiant.

Moi : Non, non. C'est plus compliqué que ça, mais je n'ai plus trop le cœur à la fête.

Adam : Je comprends. J'espère qu'on aura l'occasion de se recroiser bientôt !

Il m'a souri et s'est éloigné de quelques pas.

Moi : Adam ?

Adam : Oui ?

Moi : Avant de partir, je tenais à te remercier.

Adam : Pourquoi ?

Moi : Pour ce que tu m'as dit plus tôt. Depuis quelque temps, je me sens un peu... désorientée. Tu m'as rappelé que j'avais une passion qui allait au-delà de mes éditoriaux dans le journal étudiant.

Adam : Je pense que les meilleurs textes, ce sont souvent ceux qu'on écrit juste pour soi.

Moi : Je sais. Je réalise que ça fait longtemps que je ne l'ai pas fait.

Adam : Alors, je suis content de t'avoir inspirée. D'ailleurs, n'hésite surtout pas à me donner un coup de fil si jamais t'as besoin d'aide ou d'un autre *pep talk* !

Moi : Je n'y manquerai pas !

Je lui ai fait un petit signe de la main et je suis sortie de la maison. Mon père est arrivé quelques instants plus tard.

Mon père : Alors, t'as passé une bonne soirée ?

Moi : Un peu trop mouvementée à mon goût.

Mon père : Ton frère a bien pris soin de toi, au moins ?

Moi : Félix a bien fait sa *job*, mais j'avais envie d'être chez nous.

Mon père : Tant mieux !

Une fois à la maison, j'ai pris un bain, puis j'ai sorti le cahier de notes que Thomas m'avait offert avant que je déménage. J'ai relu certains textes que j'avais rédigés dans le passé. Il y avait des confidences, des pensées et des poèmes. J'ai réalisé que ça faisait presque un an que je n'avais rien ajouté.

Je me suis installée dans mon lit et je me suis mise à écrire tout ce que j'avais sur le cœur. Quand j'ai déposé mon carnet, je me suis sentie soulagée et vraiment apaisée.

L'écriture a cet effet-là sur moi, et je ne sais pas pourquoi je n'ai pas allumé avant. Il faut croire que même lorsque la vérité se trouve sous nos yeux, on a parfois besoin de quelqu'un pour y voir plus clair !

Désolée pour l'intensité matinale, mais c'est évidemment avec toi que je voulais partager tout ça. Comme j'ai dormi un gros total de trois heures cette nuit, je vais essayer de me recoucher, mais essaie de m'appeler plus tard pour me raconter ce qui se passe avec JP !

Je t'aime !
Léa xox

📱 27-09 16 h 01

Léa? Je viens de parler à Oli, qui m'a raconté pour hier soir. Comment vas-tu?

📱 27-09 16 h 02

Salut, Kath! Je me sens OK, mais si j'avais le choix, je resterais chez moi demain pour éviter de le voir à l'école. Comment il va, lui?

📱 27-09 16 h 02

Ce n'est pas la super forme...

📱 27-09 16 h 03

Arg. Je me sens tellement mal. ☹

📱 27-09 16 h 03

Pourtant, tu as écouté ton cœur et tu as fait ce qu'il fallait.

📱 27-09 16 h 03

Je sais. C'est juste poche de faire de la peine à quelqu'un d'aussi génial.

📱 27-09 16 h 04

Il va s'en remettre. ;)

📱 27-09 16 h 04

Je suis contente que tu sois là pour lui. Je sais que ça te met dans une position délicate, mais je tiens à ce que tu saches que je ne t'en voudrai pas si tu me délaisses pour lui accorder du temps.

📱 27-09 16 h 05

C'est gentil, mais je crois que toutes les heures passées avec lui en classe devraient suffire pour lui remonter le moral. ;)

📱 27-09 16 h 05

Et toi, comment ça va, les amours? Il me semble que depuis James, tu es pas mal au neutre, non? Personne ne t'intéresse?

📱 27-09 16 h 06

Pas vraiment.

📱 27-09 16 h 06

Oh! Ça veut dire quoi, ça?

▯ 27-09 16 h 06
....

Rien. Parlons plutôt de toi. Après tout, tu te remets d'une rupture, et c'est pas mal plus intéressant que ma vie plate.

▯ 27-09 16 h 07
....

Au contraire, ça me change les idées. Dis-moi qui t'intéresse!

▯ 27-09 16 h 07
....

Personne.

▯ 27-09 16 h 07
....

Allez, Kath. T'as dit «pas vraiment», et te connaissant, ça veut dire quelque chose!

▯ 27-09 16 h 08
....

J'avais un gars dans l'œil, mais il n'est pas libre, alors ça ne sert à rien que je m'attarde là-dessus.

▯ 27-09 16 h 08
....

Il a une blonde?

📱 **27-09 16 h 08**

Pas vraiment. Mais son cœur est déjà pris.

📱 **27-09 16 h 09**

Pff. Ça ne veut rien dire, ça! S'il apprenait que tu tripe sur lui, ça lui ouvrirait sûrement les yeux et ça pourrait vous mener quelque part.

📱 **27-09 16 h 09**

Je ne crois pas, non.

📱 **27-09 16 h 10**

Euh, allo? T'es-tu regardée dans le miroir? Ce n'est pas comme si tu ne faisais pas d'effet sur les gars!

📱 **27-09 16 h 10**

T'es fine, mais c'est pas mal plus compliqué que ça.

📱 **27-09 16 h 10**

Eh bien, raconte-moi si tu veux que je comprenne!

📱 **27-09 16 h 11**

Il aime une autre fille... il n'y a rien d'autre à dire.

📱 27-09 16 h 11

À ta place, je n'abandonnerais pas si facilement ! Tu mérites l'amour, toi aussi !

📱 27-09 16 h 11

C'est gentil, mais je n'ai pas envie de me plonger dans une tragédie grecque. Je préfère de loin profiter du célibat avec mes deux meilleures amies !

📱 27-09 16 h 12

Jeanne, toi et moi, envers et contre tous ! ;)

📱 27-09 16 h 12

Exact ! ☺ Bon, je vais devoir te laisser. Bianca est censée m'appeler d'une minute à l'autre pour parler du défilé.

📱 27-09 16 h 13

Si t'as la chance, essaie de la dissuader de m'humilier publiquement, OK ?

📱 27-09 16 h 13

Promis ! À demain ! *Luv !* xox

À : Léa_jaime@mail.com
De : Marilou33@mail.com
Date : Mercredi 30 septembre, 07 h 43
Objet : Résumé matinal, deuxième partie

JE SAIS ! Je suis NULLE ! Non seulement ça m'a pris des jours pour répondre à ton courriel, mais en plus, j'ai disparu de la surface de la planète depuis vendredi soir. Je n'ai qu'une chose à dire : quelle fin de semaine mouvementée pour Léa et Marilou !

Avant de te raconter (brièvement, car j'ai un exam de géo à 8 h 30) ce qui s'est passé avec JP, je tiens à te rassurer : tu as fait ce qu'il fallait, Léa. Je sais que ça te fait mal de briser le cœur d'Olivier et que tu aurais préféré que ça évolue différemment, mais comme il te l'a si bien dit lui-même, ce ne sont pas des choses qui se contrôlent. L'amour ne s'explique pas.

Je sais aussi que les prochains jours risquent d'être un peu tendus à l'école, mais rappelle-toi que le temps arrange toujours les choses, que tu as survécu à pire et que quoi qu'il arrive, je suis là pour toi.

Pour en revenir à mon plan, quand JP s'est pointé chez moi vendredi soir, Zak s'est littéralement jeté dans ses bras et s'est empressé de lui montrer tous ses nouveaux Lego. J'ai essayé d'intervenir, mais JP m'a fait comprendre que ça lui faisait plaisir de passer du temps avec mon petit frère. Pas besoin de te dire que son geste m'a encore plus attendrie.

J'en ai profité pour faire chauffer du pop-corn et pour choisir un film sur Netflix. Si ce n'avait été que de moi, j'aurais opté pour une comédie romantique ou alors un drame du genre *Nos étoiles contraires*, question de faire flancher JP, mais j'ai finalement sélectionné un film d'animation. Mon objectif était de détourner l'attention de mon petit frère sur la télé pour éviter d'avoir son regard inquisiteur posé sur nous.

On s'est installés tous les trois sur le sofa. Mon bras était collé à celui de JP, et je n'arrivais pas à me concentrer sur le film. J'analysais chacun de ses mouvements et j'essayais subtilement de rapprocher mes doigts des siens.

À un moment, il a glissé son bras derrière moi pour être plus à l'aise. J'ai décidé de tester les eaux en laissant reposer ma tête sur son épaule. J'ai essayé d'avoir l'air très concentrée sur les aventures du personnage principal pour que mon geste paraisse naturel et nonchalant. À ma grande joie, il n'a semblé ni choqué ni dégoûté par mon rapprochement.

Quand le film a pris fin, Zak est allé prendre un bain et JP et moi l'avons mis au lit. J'ai jeté un coup d'œil rapide au cadran. Il me restait environ une demi-heure avant le retour de ma mère.

Moi : Veux-tu venir voir ma chambre ? Ç'a pas mal changé depuis le printemps dernier.
JP : Euh, OK.

J'avais pris soin de coller quelques photos de lui sur mon mur. Je les avais dispersées parmi celles de Laurie, de Steph, de toi et de ma famille, mon objectif étant de lui faire comprendre qu'il comptait toujours autant dans ma vie.

JP (en riant et en observant une photo de lui et moi déguisés en salière et poivrière) : Ha ! Je ne l'avais jamais vue, celle-là !
Moi : C'était pour l'Halloween.
JP : On avait tellement ri, ce jour-là !
Moi : Ouais. Je m'en souviens.
JP (en observant le reste de ma chambre) : C'est cool ta nouvelle déco. On dirait que ta chambre est plus grande.
Moi (en lui tendant l'âne en peluche qu'il m'avait offert à la Saint-Valentin) : Ouais, mais il y des éléments dont je n'ai pas été capable de me défaire.
JP (en s'approchant de moi pour prendre l'âne) : Ha ! J'avais oublié l'existence de Bourriquet.
Moi (les yeux rivés sur JP) : Il m'a tenu compagnie pendant l'été.

JP (en levant aussi les yeux sur moi) : Il n'a pas été trop gossant, j'espère ?

Moi : Au contraire. Il m'a réconfortée pendant ton absence.

On est restés silencieux quelques secondes.

JP (en me redonnant l'âne) : Bon. Il est tard. Il va falloir que je rentre.

Moi : T'es sûr que tu ne veux pas rester ? On pourrait écouter de la musique...

JP : Ce n'est pas l'envie qui manque, Lou, mais je pense que c'est mieux si je pars maintenant.

Moi : Mieux pour qui ? Pour Bourriquet ?

JP (en souriant) : Ouais. Ça risque de le mélanger de nous voir ensemble.

Moi (en faisant un pas vers lui) : Je pense au contraire que ça le réconforte de voir qu'on est en bons termes.

JP a ri, puis il a pris l'âne dans ses bras.

JP : Bourriquet, ce soir, c'est ta maman qui va te border, OK ?

Moi (en prenant une voix rauque pour imiter mon toutou) : OK...

J'ai raccompagné JP à la porte.

JP (en enfilant son manteau) : Et tu fais quoi, demain ?

Moi (les yeux remplis d'espoir) : Je passe la journée avec toi ?

JP (en riant) : Ça risque d'être plate ; j'ai promis à ma mère de faire le ménage de ma chambre. Elle organise une grande vente de garage dimanche, et elle veut que je lui refile tout ce dont je n'ai plus besoin.

Moi (sans hésiter) : Je peux t'aider !

JP : T'es certaine ?

Moi : Ben oui ! Après tout, c'est à ça que servent les « amis », non ?

JP : T'as raison. Alors, je t'attends vers midi ?

Moi : Sans faute. À demain !

JP : À demain, Lou !

Cette nuit-là, j'ai eu beaucoup de misère à fermer l'œil. J'étais heureuse de constater que la deuxième et la troisième étapes de mon plan progressaient comme prévu, mais je réalisais que j'avais de plus en plus de difficulté à contenir ce que je ressentais pour JP et que j'avais peur qu'il me rejette.

Samedi matin, je me suis changée quatre fois, j'ai englouti un déjeuner en vitesse et je me suis pointée chez lui à midi tapant.

JP (en m'ouvrant la porte) : Je suis impressionné !

Moi : Pourquoi ?

JP : La ponctualité n'a jamais fait partie de tes points forts.

Moi (en entrant chez lui et en enlevant mon manteau) :
Je te l'ai dit, JP : je suis une Marilou transformée !

On s'est installés dans sa chambre qui, elle, n'avait pas
changé d'une miette depuis que j'y avais mis les pieds
la dernière fois.

JP : Ça va ?
Moi (en souriant) : Ouais. Ça me fait du bien de revenir
ici.
JP (en me tendant un sac) : Et ça va te faire encore plus
de bien de m'aider à jeter mes vieilles cochonneries.
Moi (en lui donnant une *bine*) : Niaiseux !

On a passé près de deux heures à ranger ses affaires.

JP (en époussetant son chandail d'un air satisfait) : Je
pense qu'on a fini !
Moi (en prenant une boîte qui reposait au fond de sa
garde-robe et en m'agenouillant par terre) : Non ; on n'a
pas encore classé celle-ci.
JP (en se précipitant vers moi) : Euh, ce n'est pas
nécessaire !
Moi : Pourtant, ta mère t'a clairement indiqué qu'elle
ne voulait plus voir aucune traînerie !

J'ai soulevé le couvercle et j'ai aperçu une photo de
nous deux, des lettres que je lui avais écrites ainsi
qu'un de mes vieux chandails que j'avais laissé chez

lui. C'est là que j'ai réalisé que je venais de tomber sur la « boîte à souvenirs ».

JP (mal à l'aise) : J'ai tout rangé là-dedans quand on a cassé.
Moi : Je pensais que tu t'étais débarrassé de mon stock, un peu comme à l'école.
JP : Je n'en ai pas eu la force.

Je me suis mordu la lèvre. C'est la première fois qu'on faisait allusion au drame qui s'était déroulé quelques mois plus tôt.

Moi : J'aurais pourtant mérité que tu brûles tout ça.
JP (en souriant) : Ça, c'est un peu trop intense comme réaction.

J'ai souri à mon tour et j'ai observé une photo où on était collés l'un à l'autre.

Moi (sans réfléchir) : Ça me manque tellement.

Il m'a regardée d'un air surpris.

Moi (en enchaînant) : Je sais que je t'ai fait du mal et que tu es sur tes gardes, mais je tiens à ce que tu saches que je m'ennuie terriblement de nous deux.

Il a hésité quelques instants.

Lui (d'une petite voix) : C'est réciproque.

J'ai levé les yeux vers lui et j'ai décidé de foncer.

Moi : Je t'aime encore, JP.
JP : Je sais.
Moi : Et je regrette.
JP : Je sais ça, aussi.
Moi : Toi, est-ce que tu m'aimes encore ?

Il a posé son regard sur moi. Il n'avait pas besoin de dire quoi que ce soit ; je connaissais déjà la réponse.

Moi (en le regardant dans les yeux) : Je pense vraiment qu'on devrait s'accorder une autre chance, JP.
JP (en baissant son regard) : Ce n'est pas aussi simple, Marilou.
Moi : Tu ne sais pas si tu peux me faire confiance, c'est ça ?
JP : Ouin.
Moi (en m'installant tout près de lui) : Je sais que je suis mal placée pour te demander une faveur, mais j'aimerais vraiment ça te prouver que c'est encore possible.
JP : C'est peut-être mieux si on en reste là...
Moi : On ne peut pas être juste des amis, et tu le sais aussi bien que moi.

JP (en haussant les épaules et en esquissant un petit sourire) : On pourrait être des amis qui s'embrassent de temps en temps ?

J'ai souri et j'ai posé mes lèvres sur les siennes. Notre baiser est devenu passionné et j'ai senti une véritable boule de feu dans ma poitrine.

JP (en me repoussant doucement) : J'ai besoin de temps pour réfléchir à tout ça.
Moi : Je comprends.
JP : Je vais te redonner des nouvelles, OK ?
Moi : Quand ?
JP : Je ne sais pas, Lou. Quand ça va être plus clair dans ma tête.
Moi (d'une petite voix) : OK.

J'ai ramassé mes affaires et je suis partie de chez lui à contrecœur. Si ce n'avait été que de moi, je serais restée auprès de lui jusqu'à ce qu'il réalise qu'il pouvait me faire confiance et qu'il nous accorde une autre chance, mais je savais que je devais respecter son besoin d'espace et de temps.

Dimanche et lundi, j'avais des compétitions de natation qui m'ont permis de décrocher. Hier soir, j'ai essayé d'étudier, mais je t'avoue que je n'avais pas trop la tête à la géographie. C'est difficile d'avoir un cerveau productif quand on a le cœur qui bat à cent milles à l'heure.

Je dois me sauver, mais je pense très fort à toi et j'espère que ta journée ne sera pas trop chaotique !

Lou xox

Chapitre 7 :
Le festival du cœur brisé

Samedi 3 octobre

Alex (en ligne): Salut, Rongeur solitaire!

Léa (en ligne): Hum... Ça ne sonne pas *full* gagnant comme nom, ça.

Alex (en ligne): Je m'excuse; j'aurais dû opter pour «Rongeur indépendant».

Léa (en ligne): C'est déjà mieux!

Alex (en ligne): Comment vas-tu? J'ai l'impression que tu es invisible depuis la semaine dernière.

Léa (en ligne): Ouais, disons que je ne tiens pas trop à attirer l'attention. Je me sens mal chaque fois que je croise Oli, alors je préfère aller dîner à l'extérieur avec Katherine et Jeanne.

17 h 21

Alex (en ligne): Je comprends, mais ce n'est pas une raison pour me fuir aussi! Je suis dans la *Team* Léa, moi!

17 h 21

Léa (en ligne): Il n'y a pas d'équipe, niaiseux! Mais merci quand même pour le vote de confiance. Ça fait du bien à entendre.

17 h 22

Alex (en ligne): Je sais qu'une rupture, ce n'est jamais facile, mais il ne faut pas que tu te caches, Poil de maïs. Après tout, tu n'as rien fait de mal, tu as simplement été honnête avec lui.

17 h 22

Léa (en ligne): J'en déduis qu'il t'en a parlé?

Alex (en ligne): Non. On n'est pas assez proches pour qu'il me fasse des confidences. C'est José qui m'en a glissé un mot.

17 h 23

Léa (en ligne): Évidemment. Il n'y a pas de fumée sans le *señor* Martinez!

17 h 23

Alex (en ligne): Si ça peut te rassurer, il n'a même pas *bitché* contre toi!

17 h 23

Léa (en ligne): Connaissant Olivier, c'est probablement lui qui a interdit à José de m'attaquer.

17 h 24

Alex (en ligne): Ça prouve au moins que vous n'êtes pas en mauvais termes, Oli et toi.

17 h 24

Léa (en ligne): Ouais, mais ça me fait sentir encore plus *cheap*. Il ne méritait pas que je lui fasse de la peine.

Alex (en ligne): Et encore moins que tu restes avec lui par pitié, alors que tu n'es pas vraiment amoureuse de lui.

17 h 25

Léa (en ligne): Je sais, mais je trouve ça poche quand même.

17 h 25

Alex (en ligne): Tu sais ce dont tu as besoin, Rongeur?

17 h 25

Léa (en ligne): D'une nouvelle identité jusqu'à la fin de l'année scolaire?

17 h 25

Alex (en ligne): Non. Il faut que tu te changes les idées en ayant du *fun*.

17 h 26

Léa (en ligne): Qu'est-ce que tu proposes? Un jeu de fléchettes avec la face des nunuches en plein centre?

17 h 26

Alex (en ligne): Viens chez nous demain. Ça va te sortir de ta torpeur!

17 h 26

Léa (en ligne): Tu sauras que j'ai passé la journée à préparer un oral avec Jeanne. C'est excitant, ça aussi!

17 h 27

Alex (en ligne): Dans le monde des *nerds*, tu veux dire? Alors, à quelle heure je t'attends?

17 h 27

Léa (en ligne): Vers 14 h. Je vais te texter en partant.

17 h 27

Alex (en ligne): Super! D'ici là, essaie de limiter tes excès de folie scolaire!

17 h 27

Léa (en ligne): Promis. Merci, Alex. T'es le meilleur. ☺

17 h 27

Alex (en ligne): Je sais.

17 h 27

Léa (en ligne): Et le plus modeste.

17 h 27

Alex (en ligne): C'est ce qui fait partie de mon charme!;)

17 h 28

Léa (en ligne): À demain! xox

À : Marilou33@mail.com
De : Léa_jaime@mail.com
Date : Mercredi 7 octobre, 20 h 09
Objet : Maude et Bibi

Salut, Lou !
Alors, toujours pas de nouvelles de JP ? Je sais que tu
es en train de virer folle, mais comme je te le disais
dimanche au téléphone, c'est essentiel que tu lui
laisses le temps de décanter et d'y voir plus clair.

L'important, Lou, c'est que tu saches qu'il t'aime
encore. Et comme le dit si bien ma mère, tant qu'il y a
de l'amour, il y a de l'espoir !

De mon côté, la journée s'est révélée assez
mouvementée. Depuis qu'Oli et moi avons cassé, je
fais vraiment tout en mon pouvoir pour le croiser le
moins souvent possible, mais le destin a décidé de me
jouer un mauvais tour ce midi, alors que je sortais des
toilettes.

Moi (en fonçant dans quelqu'un et en échappant mon
sac) : Oups !
Voix que j'ai reconnue tout de suite : Désolé !

J'ai levé les yeux et j'ai vu Olivier qui semblait tout
aussi mal à l'aise que moi.

Moi : Euh, c'est beau. Ce n'est pas ta faute. C'est moi qui ne regardais pas où je m'en allais.

Oli (en se penchant pour ramasser mon sac) : J'étais dans la lune, moi aussi. La preuve, c'est que je m'en allais faire pipi du côté des filles.

J'ai souri.

Moi : Alors... comment ça va ?

Oli : Pas si pire. Bi a décidé d'intensifier nos séances d'entraînement, alors ça me change les idées.

Moi : C'est vrai que le sport, ça fait sortir le méchant.

Oli : Et toi ?

Moi : Je... Euh... Correct. À part que j'ai une belle rencontre avec Maude pour le bal dans moins de cinq minutes, et qu'après, ton amie «Bi» veut me rencontrer pour m'expliquer les grandes lignes de la chorégraphie à laquelle je dois absolument participer sous peine de perdre ma place au journal.

Oli : Wow.

Moi : Ouais.

Oli : Bon, ben... Je vais te laisser aller faire tes choses.

Moi : OK.

Il m'a souri et s'est dirigé vers l'entrée des toilettes des filles.

Moi : Euh, Oli ?

Oli (en se tournant vers moi) : Oui ?

Moi (en pointant vers l'écriteau) : Regarde le bonhomme : il porte une jupe.

Oli (en fermant les yeux et en secouant la tête) : Bravo, champion.

Moi (en souriant) : Mais n'hésite pas à entrer, je suis certaine que les filles de secondaire 1 vont triper de te croiser là-dedans !

Oli : Ouais, mais j'ai peur qu'elles s'en prennent à mon look.

Moi (en l'observant, pince-sans-rire) : Ça t'irait bien, un peu de mascara !

Oli : Je ne sais juste pas si ça *fite* avec mon teint.

Moi : Je suis d'accord. Ne prends pas de chance et va du côté des gars.

Je l'ai salué de la main et je me suis dirigée vers le local où se tenait la rencontre du bal. J'étais vraiment soulagée. Ma première discussion avec Oli ne s'était pas trop mal déroulée, et je n'avais pas senti qu'il me détestait.

Ma bonne humeur s'est évidemment évaporée quand j'ai aperçu Maude assise à côté d'Annie-Claude.

Moi : Où sont les autres ?

Annie-Claude : Je ne les ai pas convoqués, car leurs tâches ne sont pas aussi urgentes que la vôtre.

Moi (entre mes dents) : Un tête-à-tête avec la reine des nunuches. Joie.

Maude (en me dévisageant) : Qu'est-ce que t'as à marmonner comme une sénile ?

Moi : C'est toi qui me fais cet effet-là.

Annie-Claude (en soupirant) : Les filles, un peu de calme, s'il vous plaît. Il va falloir que vous mettiez de l'eau dans votre vin si vous voulez travailler ensemble.

Maude (d'un air dégoûté) : Euh, pour ton information, je ne veux pas travailler avec la face de tomate, c'est toi qui me forces à le faire.

Moi : Même chose pour moi. Je préférerais signer un pacte avec le diable.

Annie-Claude : Eh bien, vous allez devoir apprendre à collaborer parce qu'il faut trouver l'hôtel au plus vite.

Maude : Pff. Le bal a lieu en juin. On a le temps en masse.

Annie-Claude : Au contraire, on ne peut rien faire tant qu'on n'a pas choisi la salle.

Moi : Annie-Claude a raison. L'organisation de la soirée, la sélection du menu, du DJ, du transport et même la gestion de l'après-bal dépendent de l'hôtel qu'on va sélectionner.

Annie-Claude : Et comme les autres écoles se battent déjà pour obtenir les meilleures salles, il n'y a pas une seule minute à perdre.

Moi : On pourrait profiter de l'Action de grâce pour sonder le terrain, non ?

Maude (en me dévisageant) : Contrairement à toi, j'ai une vie sociale bien remplie et j'ai déjà prévu sortir de la ville pendant la longue fin de semaine.

Moi (en soupirant) : Est-ce qu'on peut faire ça la fin de semaine prochaine, alors ?

Maude : J'ai une meilleure idée : pourquoi on ne ferait pas des recherches chacune de notre bord et qu'on ne demanderait pas à Annie-Claude de choisir ? Je suis certaine qu'elle n'aura aucune difficulté à trancher quand je lui offrirai le Ritz et que tu lui proposeras la salle communautaire de Saint-Glin-Glin-des-Vaches.

Moi : Tu m'énerves avec tes goûts de riche.

Maude : Et toi, tu me gosses avec tes envies de ferme.

Annie-Claude (en se levant pour conclure la réunion) : Et c'est exactement pour cette raison que je vous demande de travailler en équipe. Vous vous complétez parfaitement et je sais que vous arriverez à dénicher l'endroit idéal. Je fixe donc notre prochaine rencontre au lundi 19 octobre afin que vous me fassiez un rapport détaillé de vos recherches.

Elle est sortie du local et Maude m'a dévisagée de la tête aux pieds.

Maude : Arrange-toi donc pour prendre ta douche avant notre tournée, je ne crois pas que ton odeur de purin séduise la directrice du Reine-Elizabeth.

Je me suis contentée de serrer les poings et je me suis dirigée vers la cafétéria où Bianca m'avait donné rendez-vous. Je l'ai aperçue assise sur une table, en train de pianoter sur le cellulaire d'Alex, qui riait à ses côtés. Je n'ai pu m'empêcher de ressentir une pointe de jalousie.

Moi (en toussotant pour signaler ma présence) : J'interromps quelque chose ?

Bianca (en levant les yeux sur moi quelques instants) : Salut, Léa ! Je suis à toi dans trois secondes. Il faut juste que je finisse de scanner les amies Facebook d'Alex.

Moi : Hein ? Comment ça ?

Alex (en roulant les yeux) : Madame s'est mis dans la tête de me trouver une blonde, même si ça fait mille fois que je lui répète que je suis très heureux célibataire.

Bianca : Et moi, je persiste à dire que tu es un super bon *prospect* et que c'est une perte pour la gent féminine.

Moi (les yeux ronds) : Hein ?

Alex (en soufflant sur sa main et en se frottant la poitrine pour montrer à quel point il est cool) : Elle dit que je suis trop *hot* pour ne pas avoir de blonde.

Bianca (en me regardant d'un air piteux) : Ouin, mais je réalise que ce n'est pas super délicat de parler de ça devant toi, Léa.

Moi : Pourquoi ?

Bianca : Ben, parce que c'est fini entre Oli et toi, c't'affaire !

Moi : Et ?

Bianca : Et comme tu viens de vivre une rupture, ce n'est pas un bon moment pour diaboliser le célibat.

Moi (un peu sur la défensive) : Pas besoin de me ménager, je suis très bien toute seule. Mais il me semble que tu es mal placée pour parler, Bianca. Tu n'es pas célibataire, toi aussi ?

Bianca : Ouais, mais moi, c'est par choix.

Moi (en fronçant les sourcils) : Ça veut dire quoi, ça ? Que si je ne suis pas en couple, c'est parce que je suis pathétique ?

Alex (en me regardant d'un drôle d'air) : Je ne pense pas que Bianca voulait insinuer que...

Moi (en lui coupant la parole et en regardant Bianca dans les yeux) : Parce qu'au cas où tu ne le saurais pas, c'était MA décision de casser avec Oli.

Bianca a écarquillé les yeux et s'est mordu la lèvre.

Bianca : Léa, je pense que tu m'as mal comprise. Je faisais allusion à Alex, pas à toi. Et pour ton information, je suis au courant de ce qui s'est passé entre Oli et toi, car il m'a tout raconté.

Alex (en reprenant son cellulaire des mains de Bianca, l'air mal à l'aise.) : Sur ce, je vais aller rejoindre les gars !

Il s'est éloigné, et je me suis laissée tomber sur une chaise en soupirant.

Moi : Excuse-moi, Bianca. Je traverse une semaine un peu difficile, mais ce n'est pas une raison pour m'en prendre à toi. Je n'aurais pas dû t'attaquer comme ça.

Bianca : Pas de souci. Je te comprends totalement.

Comment une personne peut-elle à la fois me taper sur les nerfs et m'inspirer confiance ?

Bianca (en souriant) : Et si on parlait du défilé ? Je crois que ça te remontrait le moral.

Moi (en riant jaune) : Pas si sûre, moi.

Bianca : Non, non, je t'assure que tu vas triper.

Moi : Commence par m'expliquer ce que tu attends de moi, et on verra.

Bianca : OK, mais prépare-toi à CAPOTER !

Moi : Hum. Je t'écoute.

Bianca : Grâce à mon père, on a réussi à signer une entente avec une super boutique de maillots de bain...

Moi : Je t'arrête tout de suite, Bianca ; il est hors de question que je défile en bikini.

Bianca : Ne t'en fais pas, tu n'as pas tout à fait le... gabarit pour ça.

Moi (un peu vexée) : Euh, OK...

Bianca : Arg. Je me suis encore mal exprimée ! Ce que je veux dire, c'est que...

Moi (en terminant sa phrase) : Que je suis trop petite ! Je sais.

Bianca (d'un air enjoué) : Tu te trompes, Léa. La preuve, c'est que tu représentes parfaitement l'une de leurs collections.

Moi : Laquelle ? Celle pour enfants ?

Bianca (en riant) : Non !

Elle a toussoté, puis elle a adopté un air très sérieux.

Bianca : Avant que j'aille plus loin, savais-tu que les *one-piece* faisaient un retour en force ?

Moi : Les quoi ?

Bianca : Les maillots une-pièce.

Moi : Tu veux dire ceux que je portais quand j'avais cinq ans ?

Bianca (en ignorant ma remarque) : Tout le monde se les arrache, à présent !

Moi (en plissant le nez) : OK. Et en quoi est-ce que ça me concerne ?

Bianca : La boutique avec laquelle nous avons signé l'entente tient vraiment à ce que l'on mette l'emphase sur ce *come-back* inattendu.

Moi : OK. Et tu veux que je t'aide à faire la publicité ?

Bianca : Non, non. J'ai déjà toute une équipe qui bosse là-dessus.

Moi : Alors, je t'avoue que je ne comprends pas trop ce que tu attends de moi.

Bianca : J'y arrive. Nous allons présenter différents styles lors du défilé ; trois filles défileront en bikini, une autre présentera un trikini... et une dernière aura la chance d'enfiler l'un de leurs superbes maillots une-pièce.

Il y a eu un moment de silence, puis Bianca m'a lancé un regard rempli de sous-entendus.

Moi (en écarquillant les yeux) : Non ! Tu veux que *je* sois celle qui défile avec le maillot conçu pour les naines ?
Bianca : Léa, je te jure que c'est le plus beau de la gang ! Tu vas être la vedette de la chorégraphie !
Moi (en me levant d'un bond) : C'est « gentil » d'avoir pensé à moi, Bianca, mais je ne suis pas plus à l'aise de me déhancher dans un maillot de matante que dans un bikini ficelle.
Bianca (en se plantant devant moi et en brandissant son iPhone devant mes yeux) : Regarde-le avant de dire non ! Il n'est pas révélateur du tout ! Il y a même une petite jupette qui est incorporée à la culotte.

J'ai jeté un coup d'œil à l'horreur tachetée qui apparaissait sur son écran et j'ai grimacé.

Moi (en écarquillant les yeux) : Non seulement c'est un *one-piece*, mais il est horrible ! Je vais avoir l'air d'une tigresse obèse, là-dedans ! Tant qu'à me forcer à défiler dans un maillot d'enfant, arrange-toi au moins pour me proposer quelque chose qui a de l'allure !
Bianca (en se mordant la lèvre) : Ça me désole d'apprendre qu'il ne te plaît pas, mais je n'ai

malheureusement aucun droit de regard sur les échantillons qu'ils nous prêtent.

Moi : Non, mais tu as l'embarras du choix quant au mannequin qui le portera à ton défilé.

Bianca (en faisant la moue) : Pas vraiment. C'est un *X-Small*, et tu es la plus petite de notre année.

Moi : Ben là ! T'as juste à demander à une fille de secondaire 3 ou 4 de l'enfiler.

Bianca : Je ne peux pas. Le directeur est strict là-dessus : seuls les finissants ont le droit de défiler.

Moi : Alors, laisse tomber cette boutique.

Bianca : C'est impossible. La commandite est déjà signée, et je ne veux pas que mon père se retrouve dans le pétrin à cause de moi. S'il te plaît, Léa. Tu es mon seul espoir.

Elle m'a suppliée du regard. Le pire, c'est qu'elle avait l'air sincère.

Moi (en soupirant) : La seule façon que j'accepte d'enfiler ce maillot hideux, c'est si on me prête un paréo ou une veste longue pour le cacher.

Bianca (en souriant et en me serrant dans ses bras) : Je te promets qu'on va s'arranger pour que tu sois la plus belle !

Même si je me doutais fort que ça n'allait pas être le cas, j'avais déjà donné ma parole à l'équipe du journal et je voyais bien que Bianca était désespérée.

Et comme tu le dis si bien toi-même, que serait ma vie sans ces moments de honte ? Je pense que je me dois de terminer mon secondaire et de quitter cette école de la même façon que je l'ai intégrée : dans le tumulte, le chaos et la controverse ! ;)

Léa xox

Samedi 10 octobre

Léa (en ligne): OK, d'où ça sort, ce trip de Jacques Brel? En plus, on dirait que tu t'acharnes à mettre les chansons les plus déprimantes de son répertoire!

11 h 13

Félix (en ligne): C'est un reflet de mon âme.

11 h 13

Léa (en ligne): *My God!* T'es aussi intense qu'un poème d'Émile Nelligan, ce matin!

11 h 14

Félix (en ligne): Je ne suis pas d'humeur à rire, Léa.

11 h 14

Léa (en ligne): Bon, qu'est-ce qui se passe, encore?

11 h 15

Félix (en ligne): C'est Laure.

Léa (en ligne): Qu'est-ce qu'elle a fait, cette fois? Elle est allée déjeuner sans t'avertir? Elle a raccroché sans te promettre son amour éternel pour une quatrième fois de suite?

11 h 15

Félix (en ligne): Non. Elle a cassé avec moi.

11 h 16

Léa (en ligne): HEIN? Tu me niaises?

11 h 16

Félix (en ligne): Non.

11 h 16

Léa (en ligne): Mais... Je ne comprends pas! Hier soir, tu m'as dit que ça allait super bien entre vous deux et qu'elle s'apprêtait à acheter son billet pour Noël.

11 h 17

Félix (en ligne): Apparemment, j'avais tort.

11 h 17

Léa (en ligne): Peut-être que tu as mal interprété ses paroles. Qu'est-ce qu'elle t'a dit, exactement?

11 h 18

Félix (en ligne): Je l'ai appelée en me levant ce matin, et elle avait une voix bizarre. Je lui ai demandé ce qui la tracassait. Elle m'a expliqué qu'elle n'avait pas dormi de la nuit. Que son projet de maîtrise n'avançait pas comme elle voulait et que ça l'angoissait. J'ai essayé de la rassurer, mais elle ne voulait rien entendre. Elle m'a dit qu'elle réalisait qu'elle avait «perdu le contrôle de sa vie» au cours des derniers mois, qu'elle se sentait perdue et qu'elle commençait à comprendre que notre histoire n'avait pas d'avenir.

11 h 18

Léa (en ligne): Elle a paniqué, Félix. Ça arrive à tout le monde. Ça ne veut pas dire que c'est fini.

11 h 19

Félix (en ligne): Je me suis dit la même chose, et c'est pour ça que j'ai fait un effort pour me montrer patient et compréhensif. Je lui ai dit que si elle devait prioriser sa thèse, je comprendrais, mais que ce n'était pas une raison pour abandonner et faire une croix sur nous.

11 h 19

Léa (en ligne): Et?

11 h 20

Félix (en ligne): Et elle a répondu que tant qu'elle serait en couple avec moi, elle n'arriverait pas à consacrer son énergie à ses projets. Elle a aussi ajouté qu'elle trouvait que notre relation était trop passionnelle et que ça lui faisait peur, car elle n'avait aucun contrôle sur ses sentiments.

11 h 20

Léa (en ligne): Ben, là! L'amour, ce n'est pas rationnel.

11 h 21

Félix (en ligne): C'est exactement ce que j'ai répondu, mais elle était vraiment bornée. Je ne l'avais jamais vue (ou entendue) comme ça.

11 h 21

Léa (en ligne): Et comment ça s'est terminé?

11 h 21

Félix (en ligne): Comme elle s'obstinait à me répéter que notre relation était malsaine pour son avenir, je lui ai demandé carrément où elle voulait en venir. Elle m'a répondu qu'elle préférait terminer ça maintenant. Que si elle venait à Montréal, ça ne ferait qu'étirer l'inévitable et que ça rendrait la chose encore plus difficile.

11 h 22

Léa (en ligne): As-tu essayé de la convaincre d'attendre avant de prendre une décision?

11 h 22

Félix (en ligne): Je n'ai jamais autant supplié quelqu'un de ma vie. Je lui ai même offert de m'envoler pour Paris demain, pour qu'on en discute face à face, mais elle m'a interdit de le faire. Elle m'a dit qu'elle ne voulait plus me voir. Je capote, Léa. Elle était tellement froide. C'est comme si quelqu'un d'autre s'était emparé d'elle.

11 h 23

Léa (en ligne): Je suis certaine qu'elle est aussi triste que toi, mais qu'elle a réagi comme ça pour avoir l'air forte.

11 h 23

Félix (en ligne): Qu'est-ce que t'en sais?

11 h 23

Léa (en ligne): Thomas avait adopté la même attitude quand il a cassé avec moi, mais il m'a avoué plus tard que c'était seulement une façade et qu'il avait agi comme ça pour éviter de craquer.

Félix (en ligne): Peut-être, mais ça ne change pas le résultat : elle ne veut plus être avec moi et je ne peux rien faire pour changer la situation.

11 h 24

Léa (en ligne): Tout n'est pas perdu, Félix. Laisse-la réfléchir à tout ça pendant quelques jours. Elle changera peut-être d'avis.

11 h 24

Félix (en ligne): Et sinon ?

11 h 24

Léa (en ligne): Sinon, c'est que tu es mieux sans elle et que tu dois passer à un autre appel (mais pas interurbain, cette fois-ci !).

11 h 24

Félix (en ligne): C'est impossible. Je n'arriverai jamais à l'oublier. Laure, c'est mon âme sœur.

Léa (en ligne): Arrête, Félix! Je te connais assez pour savoir que tu n'es pas le genre à croire à ça! Si jamais Laure ne réalise pas qu'elle a commis une erreur, tu devras passer à autre chose en te concentrant sur les réalités de la vie.

11 h 26

Félix (en ligne): Quelles «réalités»?

11 h 26

Léa (en ligne): Qu'un océan vous sépare, que vous êtes trop jeunes pour sacrifier votre vie l'un à l'autre, que vous avez des aspirations complètement différentes et que tu mérites mieux qu'une fille qui ne sait pas ce qu'elle veut.

11 h 26

Félix (en ligne): C'est bien beau tout ça, mais ça fait mal pareil.

11 h 27

Léa (en ligne): Je sais, mais ça finit par passer.

11 h 27

Félix (en ligne): Je ne sais pas trop si je devrais me fier à tes conseils.

11 h 27

Léa (en ligne): Si tu n'es pas content, tu peux composer le 1-800-cœur-brisé!

11 h 28

Félix (en ligne): Non. J'ai l'impression qu'ils ne comprendraient pas ce que je vis.

11 h 28

Léa (en ligne): C'est pour ça que tu dois faire confiance à ta petite sœur. Après tout, j'ai plus d'expérience que toi dans le domaine des peines d'amour.

11 h 28

Félix (en ligne): OK, Yoda. Et je suis censé faire quoi pour apaiser la douleur?

11 h 29

Léa (en ligne): Lâche le Jacques Brel, prends une douche, va chez Zack et laisse le temps faire son œuvre.

Félix (en ligne): Ça demande beaucoup d'efforts, tout ça.

Léa (en ligne): Pour t'aider à te sortir de ton antre puant, je vais descendre à la cuisine te faire chauffer des gaufres. Est-ce que ça te rendrait heureux, ça?

Félix (en ligne): Peut-être. Merci, Léa.

Léa (en ligne): De rien, *dude*.

Léa s'est déconnectée

📱 **13-10 16 h 34**

Léa? As-tu deux minutes?

📱 **13-10 16 h 34**

Salut, Lou! Oui; je suis installée devant la télé avec Félix.

📱 **13-10 16 h 34**

Comment va-t-il?

📱 **13-10 16 h 35**

Pas trop de changements depuis dimanche, à part le nuage de mouches qui s'accumule au-dessus de sa tête et ses yeux qui deviennent de plus en plus hagards.

📱 **13-10 16 h 35**

Laure ne lui a pas donné de nouvelles?

📱 **13-10 16 h 35**

Non. Tantôt, il m'a avoué qu'il avait craqué et qu'il avait essayé de la joindre à environ cinquante reprises, mais qu'elle ne prenait pas ses appels et qu'elle ne répondait pas non plus à ses courriels.

📱 **13-10 16 h 36**

C'est vraiment bizarre de voir ton frère dans cet état-là.

📱 **13-10 16 h 36**

Ouais. Le festival du cœur brisé est officiellement lancé au domicile des Olivier.

📱 **13-10 16 h 37**

Parlant de ça, comment ça se passe avec Oli ?

📱 **13-10 16 h 37**

On se sourit quand on se croise dans le couloir, mais ça s'arrête là.

📱 **13-10 16 h 38**

Je sais que c'est plate de ne plus l'avoir dans ta vie, mais dis-toi que tu peux compenser avec Éloi et Alex.

📱 **13-10 16 h 38**

Je sais. Une chance qu'ils sont là ! Toi, toujours pas de nouvelles de JP ?

📱 **13-10 16 h 39**
....

Non. Ça fait plus de deux semaines et je suis vraiment en train de perdre la tête. C'est d'ailleurs pour ça que je voulais te parler.

📱 **13-10 16 h 39**
....

Je vais tout faire pour essayer de t'aider à résister à la tentation. (Sache toutefois que mes pouvoirs de persuasion n'ont pas eu l'effet désiré sur Félix.)

📱 **13-10 16 h 40**
....

Ce ne sera pas nécessaire. Je voulais plutôt t'annoncer que je m'apprête à me pointer chez lui pour lui faire une autre déclaration d'amour.

📱 **13-10 16 h 40**
....

À ta place, j'attendrais encore un peu. Je sais que c'est difficile, mais c'est important que tu respectes ses besoins.

📱 **13-10 16 h 42**
....

Mais peut-être qu'il se dit que comme je ne suis pas revenue à la charge, je ne l'aime pas tant que ça, et que c'est justement le respect de ses besoins qui le rend réticent.

📱 **13-10 16 h 42**

Hein?

📱 **13-10 16 h 43**

En d'autres mots, peut-être qu'il attend juste un signe de ma part pour se brancher!

📱 **13-10 16 h 43**

Ou peut-être qu'il a besoin d'un peu plus de temps pour déterminer s'il peut être avec toi sans t'en vouloir à vie d'avoir *frenché* mon frère.

📱 **13-10 16 h 43**

Qu'est-ce que je suis censée faire, alors? Patienter jusqu'à Noël?

📱 **13-10 16 h 44**

Donne-lui encore quelques jours. Si tu n'as toujours pas de nouvelles de lui en fin de semaine, on avisera.

📱 **13-10 16 h 44**

Ta sagesse me gosse.

🖥 13-10 16 h 44

Je sais, mais c'est pour ça que tu m'aimes !

🖥 13-10 16 h 45

Je vais aller nager, d'abord. Ça va m'aider à passer le temps.

🖥 13-10 16 h 45

Et moi, je vais essayer de faire sourire mon frère (c'est mon défi du jour) !

🖥 13-10 16 h 45

Bonne chance ! On se parle plus tard ! xox

Vendredi 16 octobre

19 h 13

Léa (en ligne): Les filles, pourquoi est-ce que j'ai l'impression que notre vie sociale bat de l'aile depuis la rentrée?

19 h 13

Katherine (en ligne): Parce qu'on est vendredi soir et qu'on ne fait rien?

19 h 14

Jeanne (en ligne): Pff. Parlez pour vous! Moi, je viens de vider le lave-vaisselle!

19 h 14

Léa (en ligne): Je te jure que je suis presque jalouse de toi!

19 h 14

Katherine (en ligne): Léa, ce n'est pas demain que tu vas faire la tournée des hôtels avec Maude?

19 h 14

Léa (en ligne): Malheureusement oui.

19 h 15

Jeanne (en ligne): Ben là! Ne viens pas te plaindre que ta fin de semaine manque d'action! Un samedi en compagnie de la reine des nunuches, ce n'est pas rien.

19 h 15

Léa (en ligne): Je préférerais encore rester chez nous pour observer Félix qui se fond tranquillement au sofa.

19 h 16

Katherine (en ligne): J'en conclus que sa peine d'amour est toujours aussi ardente.

19 h 16

Léa (en ligne): Yep. Il a passé la semaine au lit. Je ne l'ai jamais vu comme ça. Même mes parents semblent désemparés.

19 h 17

Jeanne (en ligne): C'est quand même fou. Il la connaissait à peine et il n'a passé que quelques jours avec elle.

19 h 17

Katherine (en ligne): Ouais, mais la durée de la relation n'a rien à voir avec l'intensité du deuil.

19 h 17

Léa (en ligne): C'est très bien dit, ça! Kath, j'espère que ça ne te fait pas trop bizarre de parler de ça?

19 h 18

Katherine (en ligne): Non. C'est sûr qu'une partie de moi aurait aimé le voir aussi triste quand on s'est laissés, mais c'est de l'orgueil mal placé.

19 h 18

Léa (en ligne): Je te comprends; moi aussi, j'ai souhaité que Thomas soit anéanti par mon absence.

19 h 18

Jeanne (en ligne): Et moi, j'ai prié les dieux pour que l'attitude de Xavier lui cause des troubles gastriques de forte intensité!

Katherine (en ligne): Ha, ha, ha! Quoi de mieux qu'une diarrhée pour lui faire regretter ses actes?

Léa (en ligne): Sur cette discussion appétissante, je vais devoir vous laisser, car ma soirée vient de prendre une tournure inattendue: mes parents m'ont proposé de jouer à un jeu de société!

Jeanne (en ligne): Chanceuse! Appelle-moi demain pour me raconter ta super journée avec Maude!

Léa (en ligne): Je n'y manquerai pas! xx

Katherine (en ligne): *Luv!* xox

À : Marilou33@mail.com
De : Léa_jaime@mail.com
Date : Samedi 17 octobre, 18 h 49
Objet : Une journée dans le monde des nunuches

Salut, Lou !
Alors, c'était le *fun* ta soirée de filles d'hier avec Steph et Laurie ? Est-ce qu'elles t'ont aidée à tenir le coup même si tu n'as toujours pas de nouvelles de JP ? Je sais que ta patience a atteint ses limites, mais je suis certaine qu'il n'agit pas comme ça pour te torturer ; ça prouve au contraire qu'il prend sa décision très au sérieux.

Moi, j'ai eu la chance inouïe de rejoindre Maude à 13 h pour faire la tournée des salles de réception pour le bal. Je m'attendais à ce qu'elle se pointe en retard pour me faire suer, mais j'ai été très surprise de l'apercevoir assise sur un banc, un carnet de notes dans une main et son cellulaire dans l'autre.

Maude (en levant les yeux une fraction de seconde) : Il était temps que tu arrives, la tomate. Ça ne fait pas super professionnel de se présenter en retard à nos rendez-vous.
Moi (sur la défensive) : Premièrement, je suis dix minutes à l'avance. Deuxièmement, on n'a pris rendez-vous avec personne.

Maude (en se relevant et en replaçant sa jupe):
Correction: *tu* n'as pas prévu d'entretien parce que *tu* n'as aucun contact dans le domaine hôtelier.

Moi: Es-tu en train de me dire que tu es *best* avec Paris Hilton?

Maude: Non. Je souligne simplement le fait que mon père m'a aidée à planifier quelques rencontres dans le coin, question de m'assurer qu'on ne finisse pas par manger des sandwichs pas de croûte dans un aréna déprimant.

Moi (en ignorant son sarcasme): Ah, c'est cool! Les contacts de ton père me sont pas mal plus utiles que ceux de Bianca.

Maude (en grimaçant avec dégoût): Ne me parle pas d'elle, s'il te plaît. C'est déjà assez pénible de passer la journée avec toi sans que tu me rappelles l'existence de Bianconne.

Moi: Je sais que tu ne la portes pas dans ton cœur, mais si tu essayais de la connaître, tu réaliserais qu'elle n'est pas méchante.

Maude (en me jugeant du regard): Et depuis quand est-ce que ton avis m'intéresse?

Moi (en haussant les épaules): Je dis juste ça parce que ça m'arrive d'être jalouse d'elle, moi aussi.

Maude (en s'esclaffant): Tu penses vraiment que j'envie cette grande échalote frisée? Contrairement à toi, j'ai assez confiance en moi pour ne pas me sentir menacée par une fille qui se prend pour une autre alors qu'elle ne connaît rien à la vie.

Elle avait beau dire que Bianca n'était pas sa rivale, je voyais bien qu'elle se sentait menacée par son arrivée. J'ai tout de même décidé de me taire et de la suivre jusqu'à l'un des hôtels les plus prestigieux du Vieux-Montréal.

Moi (en m'arrêtant pour observer l'édifice) : Euh, je ne pense pas que ce soit dans nos moyens, Maude.

Maude (en me dévisageant) : Je t'ai déjà dit que mon père nous avait arrangé une rencontre. On ne va quand même pas leur faire faux-bond ! Et je pense que ta tenue va nous aider à avoir un rabais sur la salle.

Moi (en baissant les yeux vers mes *skinny* noirs et mes bottillons) : Pourquoi ?

Maude : Parce qu'ils vont croire que l'on organise une fête pour les démunis.

Moi (en embarquant dans son jeu) : Contente d'être utile !

Nous sommes entrées dans le hall où l'une des réceptionnistes nous a guidées vers un petit bureau.

La réceptionniste : Monsieur Guindon sera à vous dans quelques minutes.

Maude en a profité pour relire ses notes. Même si son snobisme me tapait royalement sur les nerfs, je dois avouer que j'étais impressionnée par son professionnalisme et son sérieux.

Monsieur Guindon (en entrant dans la salle) : Qui de vous deux est la fille de monsieur Ménard ?

Maude (en se levant pour lui tendre la main) : Moi, monsieur.

Monsieur Guindon (en plantant un baiser sur sa joue) : Pff ! Laisse tomber les politesses ! On se connaît bien ; j'ai même changé ta couche quand t'étais petite !

Il a ponctué sa phrase d'un rire gras et s'est tourné vers moi.

Monsieur Guindon (en se penchant comme s'il voulait me dire un secret) : Elle a l'air toute délicate comme ça, mais je te jure que quand elle était bébé, elle ne laissait pas sa place côté cacas.

Maude est devenue écarlate et je n'ai pu m'empêcher de rire.

Maude : Bon, comme nous ne sommes pas ici pour parler de mes antécédents... digestifs, je vais tout de suite passer aux choses sérieuses. Nous aimerions organiser notre bal de finissants dans l'une de vos majestueuses salles, monsieur Guindon, et nous aimerions savoir s'il était possible de les visiter.

Moi : Et aussi de connaître vos tarifs.

Monsieur Guindon : Premièrement, lâchez-moi le vouvoiement pis le « monsieur Guidon ». Appelez-moi Rick.

Maude (en haussant un sourcil) : Euh, OK. Rick.

Rick : Deuxièmement, ça va me faire plaisir de vous montrer nos salles. C'est pour quand, ce beau bal-là ?

Moi : Nous visions le 22 ou le 23 juin.

Rick (en consultant son agenda) : Vous êtes chanceuses ! J'ai justement une annulation pour le 22. C'est la salle champêtre. Pour le prix, on offre généralement une formule tout inclus. D'habitude, ce n'est pas donné, mais pour les amis de la famille, je suis prêt à faire un compromis !

Il a inscrit un chiffre sur une feuille et nous l'a tendue. J'ai souri. C'était exactement le genre de tarif que nous recherchions.

Il nous a ensuite guidées vers la salle en question, et j'ai tout de suite été charmée par son look à la fois moderne et classique et par la vue imprenable qu'elle offrait sur le Vieux-Port.

Rick (en consultant son cellulaire) : Oups. Il faut absolument que je prenne cet appel. Je reviens dans quelques minutes.

Moi (en regardant autour de moi) : Wow. Je pense qu'on vient de trouver la perle rare.

Maude (en haussant les épaules) : Bof. On peut faire mieux.

Moi : De quoi tu parles ? La salle est débile, leur offre a vraiment de l'allure et ils s'occupent de tout !

Maude : Ouais, mais Rick manque de classe. Ça en dit beaucoup sur l'établissement.

Moi : Moi, je le trouve plutôt sympathique.

Maude : Ça ne m'étonne pas, vous parlez le même langage.

Moi (en soupirant) : Écoute, je sais que son allusion à ton... problème d'enfance t'a agacée, mais essaie de passer par-dessus, OK ?

Maude : Pff. Je ne vois pas de quoi tu parles.

Moi (en soupirant) : Si je te jure de ne jamais utiliser cette information contre toi, est-ce que tu peux me promettre de considérer son offre ?

Maude : Écoute-moi bien, face de mouton : il est hors de question que je fasse un *deal* avec toi.

Moi : Est-ce que ça veut dire que je peux raconter à tout le monde que tu faisais de gros cacas puants quand tu étais bébé ?

Maude : Parce que toi, tu pondais des roses ?

Moi (en souriant d'un air satisfait) : Yep. C'est l'avantage d'avoir grandi dans une ferme.

Elle m'a lancé un regard noir et je me suis félicitée d'avoir eu recours à l'autodérision pour lui clouer le bec.

J'ai remercié chaleureusement Rick en lui promettant de le recontacter dans les plus brefs délais et j'ai suivi Maude jusqu'à notre prochaine destination.

Moi (en la regardant d'un drôle d'air) : Le marché Bonsecours ? Ce n'est pas un peu *too much*, Maude ?

Maude (en essuyant ses verres fumés) : Ayant grandi dans un champ de maïs, je sais que tes aspirations se résument à une tente-roulotte et un bol de patates, mais tu dois comprendre que certaines personnes visent un peu plus haut que toi.

J'ai roulé les yeux et je l'ai suivie à l'intérieur. Nous avons été accueillies par une dame aussi sympathique qu'un douanier américain qui se fait mordre par un bulldog.

Plutôt que de se montrer déstabilisée, Maude lui a souri et s'est empressée d'énumérer toutes les informations que son père lui avait transmises à propos de l'édifice afin d'impressionner Cruella.

Celle-ci a fini par nous faire une offre exorbitante qui m'a fait pouffer de rire.

Maude (en me dévisageant alors qu'on sortait dans la rue) : Qu'est-ce que t'as à rire comme une dinde ?

Moi : Ben là ! Elle capote, elle ! Je ne vois vraiment pas quelle école pourrait avoir autant de budget !

Maude : La nôtre, si on organisait des activités de financement qui ont de l'allure !

Moi (sarcastique) : Genre la vente d'organes sur le marché noir ?

Maude (d'un air dégoûté) : Non ! Mais si on utilisait nos contacts pour trouver des commanditaires fortunés, on arriverait à amasser cette somme.

Moi : Tu as intérêt à faire ton deuil, Maude, car Annie-Claude n'acceptera jamais cette offre.

Nous avons poursuivi notre tournée des salles, mais les goûts dispendieux de Maude ne correspondaient pas du tout à nos besoins.

Moi (en sortant de notre dernier rendez-vous) : Je pense que le premier hôtel est le gagnant. C'est élégant, original et dans nos prix.

Maude (en haussant les épaules) : C'est sûr que c'est mieux que la grange de ta tante.

Son cellulaire a sonné.

Maude (en prenant une voix mielleuse) : Allo, chéri ! On se rencontre toujours dans une heure ?

Son visage s'est aussitôt décomposé.

Maude : Comment ça, vous n'avez pas encore fini votre entraînement ? Elle est donc bien acharnée, elle ! Non, je n'ai pas envie de vous rejoindre. J'ai autre chose à faire que de me tenir avec une ratée. C'est ça, ouais. Fais-moi signe plus tard.

Elle a raccroché en maugréant.

Moi : Laisse-moi deviner : José passe la journée avec « Bibi », et ça te rend super heureuse ?

Maude (en oubliant pendant une fraction de seconde qu'elle s'adressait à moi) : Elle m'énerve tellement, cette fille. Je lui ai pourtant dit de se tenir loin de mon chum.

Moi : Si ça peut te rassurer, je ne crois pas qu'elle s'intéresse réellement à José. Je pense juste qu'elle aime l'attention masculine.

Maude (en secouant la tête comme si elle retrouvait ses esprits) : Et qui t'a dit que ton opinion m'intéressait ?

Moi (en soupirant) : Ça m'apprendra à vouloir être fine. Sur ce, je vais y aller. On reparlera des hôtels lundi.

Maude : C'est ça, dégage, Mathurin !

J'ai roulé les yeux et je suis partie sans rien ajouter. De retour chez moi, je me suis laissée choir sur le sofa. Ma journée en compagnie de la nunuche en chef m'avait complètement épuisée.

Ma mère (en me regardant d'un drôle d'air) : Ah, non ! Ne me dis pas que tu es déprimée, toi aussi ?

Moi : Non, non. Je suis juste fatiguée.

Ma mère : Tant mieux, parce que j'ai déjà assez de misère à faire sourire ton frère !

Moi : D'ailleurs, il est passé où, lui ? J'espère qu'il n'est pas en train de sniffer le shampooing de Laure !

Ma mère : Non. Zack a réussi à le sortir de la maison. Il va passer la soirée chez des amis.

Moi : C'est bon signe, ça !

Ma mère (en s'assoyant auprès de moi) : J'espère ! Et toi, comment ça va ?

Moi : Pas pire.

Ma mère : Mais encore ?

Moi : Qu'est-ce que tu veux savoir, exactement ?

Ma mère : Avec Olivier, comment ça se passe ?

J'avais complètement oublié de dire à mes parents que ma relation était kaput.

Moi : Ça ne va pas si mal compte tenu du fait qu'on ne sort plus ensemble.

Ma mère (surprise) : Hein ? Depuis quand ?

Moi (d'une petite voix) : Euh, trois semaines ?

Ma mère : Ben là ! Pourquoi tu ne m'as rien dit ? Je sais que ton frère file un mauvais coton, mais je suis là pour toi aussi !

Moi (en souriant) : C'est gentil, maman, mais je vais bien. C'est moi qui ai décidé de casser.

Ma mère : Pourquoi ?

Moi : Parce que j'ai réalisé que je n'étais pas vraiment amoureuse de lui.

Ma mère : C'est une excellente raison. Est-ce qu'il te manque ?

Moi : Un peu, mais j'ai tellement de choses en tête ces temps-ci que je n'ai pas trop le temps d'y penser.

Ma mère : Comme quoi ?

Moi : Le défilé, le bal, mes études, mon avenir...

Ma mère (en fronçant les sourcils) : Est-ce que c'est ton père qui te met de la pression ?

Moi (en souriant) : Non. C'est le fait d'être finissante et de devoir prendre des décisions pour l'an prochain. La bonne nouvelle, c'est que ça commence à être plus clair dans mon esprit.

Ma mère : Laisse-moi deviner : tu voudrais t'inscrire en arts, lettres et communication pour t'orienter vers l'écriture ?

Moi (en écarquillant les yeux) : Wow. Comment t'as fait pour savoir ?

Ma mère (en m'embrassant sur le front) : C'est moi qui t'ai faite, ma puce ! Et honnêtement, je ne t'imagine pas faire autre chose que de poursuivre ta vraie passion.

Ses paroles m'ont réconfortée. Une fois dans ma chambre, je me suis installée sur mon lit pour écrire. Je ne sais pas trop où tout ça va me mener, Lou, mais je suis vraiment excitée quand je pense à la prochaine étape de ma vie (qui n'a rien à voir avec la production porcine ou l'arboriculture) !

Donne-moi des nouvelles ce soir ou demain pour me raconter ce qui se passe de ton côté. Si jamais tu capotes à cause de JP, on établira un plan d'action ensemble !

Léa xox

Chapitre 8 :
Cœur d'artichaut et jus de canneberges

Le Blogue de Manu

Inscris un titre : La peine de mon frère

Écris ton problème : Salut, Manu! J'espère que tu vas bien! Si je t'écris aujourd'hui, ce n'est pas pour te parler de moi, mais plutôt de mon frère. Je sais que dans le passé, je me suis souvent plainte du fait que sa vie était beaucoup plus simple que la mienne, mais les choses ont changé dernièrement et je ne sais pas trop quoi faire pour l'aider.

Cet été, il est tombé follement amoureux d'une Française qui vit à Paris, et elle vient juste de mettre fin à leur relation. Je m'y connais plutôt bien dans le domaine des peines d'amour, mais je ne suis pas habituée de voir mon frère dans un état aussi lamentable et j'aimerais que tu me donnes quelques trucs pour lui permettre de retomber sur ses pattes et de retrouver son entrain habituel. Ça me brise le cœur de le voir triste à longueur de journée. Je ne reconnais pas Félix, et je commence sérieusement à m'inquiéter pour lui.

Merci !
Léa xox

Manu répond à deux questions par semaine. Tu seras peut-être choisie...

À : Léa_jaime@mail.com
De : Marilou33@mail.com
Date : Dimanche 18 octobre, 09 h 19
Objet : Je flotte sur un nuage !

Léa ! Je capote ! Après des semaines, que dis-je, des MOIS de pleurs et de soupirs, je sens enfin une bouffée d'air frais ! C'est comme si on m'avait greffé un poumon ou qu'on m'avait redonné ma joie de vivre. Laisse-moi tout de suite te résumer ce qui sera dorénavant considéré comme étant la plus belle soirée de ma vie.

En revenant de chez Laurie hier midi, j'avais le cœur gros. Même si les filles avaient passé des heures à me répéter que l'attente n'était pas nécessairement mauvais signe, je commençais sérieusement à perdre espoir. J'ai lu ton courriel, mais je n'avais même plus l'énergie de songer à un plan d'attaque. La seule chose que j'avais envie de faire, c'était de suivre mon instinct.

Je me suis donc changée en vitesse et je me suis dirigée chez JP sans trop réfléchir. C'est sa mère qui m'a ouvert la porte.

Sa mère : Bonjour, Marilou !
Moi : Bonjour, madame ! Est-ce que Jean-Philippe est là ?

Sa mère : Non. Il avait un match de basket en matinée, et il m'a dit qu'il sortait avec une amie par la suite. Veux-tu que je lui dise que tu es passée ?

Moi (déçue) : Euh, non. Ce ne sera pas nécessaire. Merci.

Je suis rentrée bredouille en essuyant quelques larmes. Je me trouvais tellement tache avec mon impulsion débile qui n'avait mené à rien.

Quand je suis arrivée devant l'immeuble de mon père, mon cœur a toutefois fait un bond dans ma poitrine. JP était assis sur les marches et m'attendait.

Moi (en reniflant et en essayant d'effacer toute trace de morve de mon visage) : JP ? Qu'est-ce que tu fais là ?

JP : J'avais besoin de te voir. Je suis allée chez ta mère, qui m'a expliqué que tu étais ici en fin de semaine, et comme ton père m'a dit que tu étais sortie, j'ai décidé de t'attendre.

Je me suis avancée vers lui, le cœur battant, et je me suis assise à ses côtés.

JP (en m'observant de plus près) : As-tu pleuré ?

Moi (la lèvre tremblotante) : Euh, non, non.

JP (l'air inquiet) : Je te connais, Lou. Je le vois bien que ça ne va pas. Qu'est-ce qui se passe ?

Moi : Rien... Je marchais dans la rue, et j'ai vu un chien qui boitait et...

J'ai soupiré en secouant la tête.

Moi : Ah, et puis tant pis ! Je n'ai plus rien à perdre.

JP (en haussant un sourcil) : Hein ? De quoi tu parles ?

Moi (en le regardant dans les yeux) : Je pleure parce que je reviens de chez toi.

JP (surpris) : Tu es allée chez moi ? Pourquoi ?

Moi : Parce que je n'en pouvais plus d'attendre et je voulais que tu saches que... que je suis prête à tout pour que tu me donnes une autre chance. Je t'aime, Jean-Philippe, et je ne supporte plus d'être loin de toi ! Mais quand j'ai appris que tu n'étais pas là parce que tu étais sorti avec « une amie », je me suis évidemment imaginé le pire.

JP : C'est toi, « mon amie ». Je me suis levé ce matin avec l'envie folle de te parler, mais comme je ne voulais pas que ma mère me pose de questions, je suis resté vague sur les détails.

Moi (en me mordant la lèvre) : Et qu'est-ce que tu voulais me dire ?

JP : Que ça fait des semaines que j'essaie de prendre une décision rationnelle, mais que je n'y arrive pas.

Moi : Qu'est-ce que ça veut dire, ça ?

JP m'a regardée et a pris une longue inspiration.

JP : Le printemps dernier, tu m'as brisé le cœur. J'ai tellement eu mal que j'ai pensé que je n'allais jamais m'en remettre.

Moi (en pleurant) : Je m'excuse. Je m'en veux tellement...

JP (en prenant ma main) : Je n'en doute pas, Lou. J'ai toujours su que tu n'avais pas fait ça pour me faire du mal intentionnellement, mais le résultat a été le même. J'ai passé l'été à essayer de m'étourdir pour t'oublier, mais quand je t'ai revue au party, j'ai perdu mon souffle et j'ai réalisé à quel point je t'aimais encore. Après ça, j'ai essayé d'être fort et de me contenter d'une amitié. Je voulais à tout prix me protéger parce que je savais que je n'aurais pas la force de surmonter deux fois ce que tu m'as fait vivre.

Moi : JP, je ne te referai JAMAIS une chose pareille. Je te le jure sur la tête de Bourriquet.

Il a souri.

JP : Je sais que tu es sincère, mais j'avais besoin de temps pour être certain que je pouvais vraiment y croire, moi aussi. Tu sais, ça ne sert à rien de se rembarquer dans quelque chose si je ne te fais pas entièrement confiance.

Moi : Je sais. Et... quelle est ta conclusion ?

JP : J'ai réalisé que je n'aurai jamais de certitude tant que je n'aurai pas essayé.

Moi : Tu... Veux-tu dire que... ?

JP m'a interrompue en m'embrassant, et j'ai senti mon cœur qui explosait dans ma poitrine. J'ai répondu à son baiser et je l'ai serré très fort dans mes bras. On est restés comme ça pendant un long moment. Une partie de moi avait peur de desserrer mon étreinte de peur qu'il se sauve.

JP (en frissonnant) : Est-ce que tu m'invites à entrer ?
Moi (en riant) : Ben oui !

Zak l'a accueilli en héros de guerre et mon père est venu lui serrer la main.

Mon père : Tu restes avec nous pour souper ?
JP : Je ne dirai pas non. Je dois juste prévenir ma mère.

JP est allé faire son appel dans ma chambre, et mon père en a profité pour me soutirer des informations.

Mon père (en chuchotant) : Est-ce qu'il est ici en tant qu'ami ou...
Moi (en souriant à pleines dents) : Non. Il est ici en tant qu'amoureux.
Mon père : Je suis content pour toi, ma chérie.
Zak (en se mêlant à notre discussion) : Pourquoi t'es content pour elle ?
Moi : Parce que... papa a accepté de cuisiner mon plat préféré !

Zak : Oh ! On mange de la fondue chinoise ?

Mon père (en fronçant les sourcils) : Ç'a bien l'air !

Nous avons aidé mon père à préparer le souper, qui s'est déroulé dans l'harmonie la plus totale. Après le repas, JP et moi sommes allés nous balader, question d'avoir un peu d'intimité. Nous étions tellement heureux que nous ne sentions même pas le froid. Ce n'est qu'au moment de nous séparer que j'ai ressenti un moment de panique.

JP (en m'embrassant) : Bon, je vais rentrer. J'ai un match demain, et tu as ta compétition de natation !

Moi : Je sais, mais c'est dur de te dire au revoir.

JP (en riant) : On va se parler demain, Lou.

Moi : Promis ?

JP : Ben oui ! Pourquoi tu me demandes ça ? T'as peur que je change d'idée d'ici là ?

Moi : Un peu. Il paraît que la nuit porte conseil, et je ne voudrais pas qu'elle te suggère de laisser tomber.

JP (en me serrant contre lui) : Ne t'en fais pas, Lou. Ce sont justement mes nuits d'insomnie qui m'ont mené jusqu'ici.

Moi : Alors, tout ça est vraiment réel ? Tu acceptes de me donner une chance de te prouver que... tu peux me faire confiance ?

JP : Oui. Le risque en vaut la peine.

Moi : Je pense que je n'ai jamais été aussi heureuse.

On s'est embrassés longuement avant de se séparer.
Ce matin, je me suis réveillée à l'aube avec un sourire
béat étampé dans le visage.

Je dois filer à la piscine, mais on se parle tout à l'heure !

Lou xox

Mardi 20 octobre

17 h 12

Éloi (en ligne): Salut, toi! J'ai à peine eu le temps de te parler à l'école aujourd'hui! Comment vas-tu?

17 h 12

Léa (en ligne): Pas pire, à part que je m'ennuie de toi!

17 h 13

Éloi (en ligne): Moi aussi! As-tu envie qu'on mange ensemble demain avant la réunion du journal?

17 h 13

Léa (en ligne): Mets-en!

17 h 13

Éloi (en ligne): Yé! Tu pourras en profiter pour me raconter ta victoire contre Maude!

Léa (en ligne): Bof, il n'y a pas grand-chose à dire, à part qu'Annie-Claude a rejeté toutes ses propositions hyper dispendieuses et que le bal aura bel et bien lieu à l'endroit que je voulais! Tu vas voir, la salle est débile!

Éloi (en ligne): Trop cool! Le moins qu'on puisse dire, c'est que c'est une journée prolifique pour notre gang!

Alex vient de se joindre à la conversation

Léa (en ligne): Parlant de prolifique, bonjour, monsieur le président de secondaire 5!

Alex (en ligne): Bonjour, chers électeurs! Merci d'avoir voté pour moi, ce midi! Je n'aurais jamais remporté la victoire sans votre aide!

Léa (en ligne): Pff! N'importe quoi! J'ai appris que tu avais gagné par une avance de vingt voix, et que même les nunuches avaient voté pour toi.

17 h 16

Alex (en ligne): Tu vois? Ça sert à quelque chose d'entretenir de bons liens avec l'ennemi!

17 h 17

Éloi (en ligne): Dis-moi, quel sera ton premier projet en tant que président?

17 h 17

Alex (en ligne): Un petit party chez moi samedi pour célébrer ma victoire!

17 h 18

Léa (en ligne): Trop cool! On est tellement dû pour faire la fête! En plus, ça nous aidera à patienter jusqu'à la danse d'Halloween!

17 h 18

Éloi (en ligne): D'autant plus que moi, je ne serai pas là le 30. ☹

Léa (en ligne): Oh, non! Comment ça?

Éloi (en ligne): Je vais au Saguenay avec mes parents. Ça m'énerve, car si je me fie au dernier party que j'ai manqué, je m'attends encore à rater une soirée mouvementée!

Léa (en ligne): Ne t'en fais pas, je t'écrirai le lendemain pour tout te raconter dans les moindres détails!

Éloi (en ligne): Merci! T'es un amour!

Léa (en ligne): Je le sais! La preuve, c'est que je vais aller chez Alex samedi après-midi pour l'aider à tout préparer!

17 h 20

Alex (en ligne): C'est gentil, Rongeur, mais Bianca m'a déjà offert de faire les courses avec moi et de me donner un coup de main après notre entraînement.

17 h 20

Léa (en ligne): C'est correct. Après tout, ce n'est pas la première fois que tu me *flushes* pour ta «Bibi»... ;)

17 h 21

Alex (en ligne): Je t'en prie, Poil de maïs! Ne réagis pas comme ça! Tu sais que tu es la plus importante à mes yeux!

17 h 21

Léa (en ligne): C'est bon, je te pardonne (mais tu dois continuer à me complimenter et à m'aduler jusqu'à la fin de l'année).

17 h 22

Alex (en ligne): Promis! Ce ne sera pas difficile de louanger l'écureuil le plus *cute* de l'école.

17 h 22

Éloi (en ligne): Vous êtes officiellement *weird*. Bon, je vous laisse, car les devoirs m'appellent!

17 h 23

Léa (en ligne): Moi, ce sont les soupirs de Félix qui m'interpellent. Je vais aller lui changer les idées.

17 h 23

Éloi (en ligne): Parlant de ça, pourquoi tu ne l'invites pas chez Alex, samedi? Ça lui ferait du bien de me voir!

17 h 24

Léa (en ligne): Bonne idée. Je vais lui en parler. À demain! xx

📱 22-10 17 h 11

La Terre appelle Marilou ! Es-tu encore vivante ?

📱 22-10 17 h 11

Oui ! Et je file toujours le parfait bonheur ! La preuve, c'est que je passe TOUT mon temps libre avec JP depuis qu'on a repris.

📱 22-10 17 h 12

Aw ! Je suis contente pour vous !

📱 22-10 17 h 12

Merci ! Mais je ne m'en fais pas pour toi et ton cœur d'artichaut, car je suis sûre que vous vivrez bientôt une autre grande histoire d'amour.

📱 22-10 17 h 13

Pour l'instant, je suis plutôt déterminée à rester célibataire et à me concentrer sur mes études et sur la survie de mon frère, qui a le teint aussi éclatant qu'un rat musqué.

📱 22-10 17 h 13

Pauvre Félix. J'en déduis qu'il n'a pas reparlé à Laure ?

📱 22-10 17 h 14

Pire encore! Elle lui a écrit hier pour lui dire d'arrêter de s'acharner puisqu'elle préférait couper complètement les ponts.

📱 22-10 17 h 14

My God! Ç'a dû le détruire!

📱 22-10 17 h 15

Disons que ç'a un peu anéanti tout le progrès qu'il avait fait jusqu'à maintenant. La bonne nouvelle, c'est que je crois que c'est la claque dont il avait besoin pour se bouger les fesses. Quand on touche le fond, on ne peut que remonter à la surface, non?

📱 22-10 17 h 15

Ouais. La preuve, c'est que j'ai fini par me reprendre en main après ma période d'hygiène douteuse.

📱 22-10 17 h 16

En tout cas, je célèbre une petite victoire personnelle, car j'ai réussi à le convaincre de m'accompagner chez Alex, samedi soir.

📱 **22-10 17 h 16**
. . . .

Génial! Ça va lui faire du bien de bouger. Tu me tiens au courant?

📱 **22-10 17 h 17**
. . . .

Sans faute. Salue JP pour moi! xx

À : Marilou33@mail.com
De : Léa_jaime@mail.com
Date : Dimanche 25 octobre, 03 h 29
Objet : Cœur d'artichaut

Salut, Lou.

Je t'avertis tout de suite : tu risques d'avoir un arrêt cardiaque en lisant mon courriel. Comme tu peux le constater, il est très tard (ou très tôt, c'est selon), mais je n'arrive pas à fermer l'œil, et comme mon journal ne m'aide pas du tout, je me suis dit que ça me calmerait peut-être de te raconter ce qui s'est passé chez Alex.

Avant de me rendre chez lui, j'ai rejoint Katherine et Jeanne au métro.

Jeanne (en m'observant de la tête aux pieds) : Coudonc ! T'es donc bien belle !

Moi (en rougissant) : Hein ? Ah... Merci !

Katherine : C'est vrai que tu as un petit quelque chose de spécial, ce soir. As-tu coupé tes cheveux ?

Moi : Pas depuis que j'ai quatre ans.

Les filles ont ri.

Moi : Ça va être cool de faire la fête, ce soir.

Jeanne : Mets-en ! D'autant plus que je n'ai jamais le temps de socialiser quand je suis à l'école.

Moi : Même chose pour moi !

Katherine : Où est Félix ?

Moi (en souriant) : Éloi l'a rejoint chez moi pour éviter qu'il se défile. Il m'a dit qu'au pire, il le traînerait de force avec une grue.

À notre arrivée chez Alex, j'ai été étonnée par la quantité de gens qui étaient déjà entassés dans son sous-sol. J'ai aperçu Bianca qui jasait avec Olivier dans un coin. Je leur ai fait un petit salut de la main et je suis allée me servir à boire.

Maude (en se pointant à ma gauche) : Ça ne t'énerve pas de voir la Bianconne qui *cruise* déjà ton ex ?

Moi : Premièrement, Oli ne m'appartient pas et ne me doit plus rien. Deuxièmement, Bianca et lui sont des amis, et troisièmement, je ne suis pas du genre à être jalouse.

Maude a éclaté de rire.

Moi : Pourquoi tu ris ?

Maude (en plissant le nez) : Laisse faire, le radis.

J'ai roulé les yeux et j'ai rejoint Félix et Éloi qui venaient d'arriver.

Moi (d'un air impressionné) : Wow ! Tu es douché, rasé et presque présentable.

Félix (d'un ton grognon) : Hum. C'est bon, je suis venu. Je peux partir, maintenant ? Je ne suis pas à ma place, ici. C'est un party de bébés.

Moi : Et comme tu agis avec autant de maturité qu'un enfant de deux mois, je considère que tu *fites* parfaitement dans le décor. Maintenant, va voir Alex. Il va te donner une bière.

Félix : Ouh ! De la bière ! On ne rit plus !

Il a fait une grimace, et Katherine a aussitôt pris la relève.

Katherine : Salut, Félix ! J'ai super soif ! On va se servir à boire ?

Mon frère a haussé les épaules et Katherine l'a guidé vers la table.

Moi (en me tournant vers Éloi) : Wow. Une vraie boule de joie !

Éloi : Je ne perds pas espoir ; il a fait quelques blagues sarcastiques quand nous étions dans la voiture. C'est la preuve qu'il est en train de redevenir lui-même !

Jeanne nous a rejoints et m'a tendu une boisson rouge.

Moi : C'est quoi, ça ? Du jus de fruits ?
Jeanne : Pas exactement. C'est un vodka-canneberges.

Moi : Ish. C'est dangereux ! La dernière fois que j'ai bu ça, j'en suis venue à trouver les nunuches sympathiques ! Jeanne (en trinquant) : Alors, c'est exactement ce qu'il te faut.

J'ai soupiré, mais j'ai fini par avaler une grande gorgée en grimaçant.

Moi : C'est ben fort !
Jeanne : Ouais, c'est « Bibi » qui l'a préparée !

Elle a pointé en direction de Bianca, qui était maintenant assise tout près d'Alex et qui lui susurrait quelque chose à l'oreille. J'ai aussitôt senti un pincement au ventre.

Pendant l'heure qui a suivi, j'ai essayé de me distraire en discutant avec mes amis, en buvant ma boisson dégueulasse et en dansant, mais on dirait que je n'arrivais pas à les oublier et que je les guettais toujours du coin de l'œil. Je voyais bien que Bianca essayait de le charmer. Est-ce que c'était réciproque ? Si oui, pour quelle raison Alex ne m'avait rien dit ? Et pourquoi est-ce que la possibilité qu'ils forment un couple me gossait soudainement au plus haut point ?

Quelqu'un m'a tapoté l'épaule et a interrompu ma réflexion.

Moi (en soupirant) : Qu'est-ce que tu veux, Maude ?

Maude : T'expliquer pourquoi ta remarque m'a fait rire, tantôt.

Moi : Hein ? De quoi tu parles ?

Maude (en me narguant du regard) : Je le vois bien que ça te rend folle que la nouvelle se colle contre Alex, alors ne viens pas me dire que tu n'es pas du genre à être jalouse, face de haricot.

Moi : Pff. Je pense que tu fais de la projection. Je sais que l'amitié entre Bianca et José t'énerve royalement, mais ce n'est pas une raison pour t'imaginer que tout le monde pense comme toi.

Maude (en se tournant vers Bianca, qui était maintenant assise sur les genoux d'Alex) : Alors tu vas me dire que si elle l'embrasse, ça va te laisser complètement indifférente ?

J'ai serré la mâchoire.

Moi (en m'efforçant d'adopter un air nonchalant) : Oui.

Maude : Tant mieux, car ça devrait se produire d'une seconde à l'autre.

J'ai détourné le regard. La vérité, c'est que je ne supportais plus d'assister à cette scène.

Moi : Je n'ai pas envie d'entrer dans ton petit jeu, Maude. Je vais plutôt aller prendre l'air.

J'ai déposé mon verre et je suis sortie dans la cour. Le temps était très doux et la brise me faisait du bien.

J'ai entendu quelqu'un sortir derrière moi. Je me suis retournée et j'ai sursauté en apercevant Alex.

Alex : Léa ? Ça va ? Je t'ai vue partir en trombe. Qu'est-ce que Maude t'a dit, coudonc ?

Moi : Hein ? Euh, rien.

Alex (en s'approchant de moi) : *Come on*, Rongeur. Je le vois bien qu'elle t'a blessée.

Moi (sur un ton un peu trop agressif) : Il faut croire que même après deux ans, Maude réussit encore à m'atteindre. Que veux-tu ? On ne peut pas toutes être fortes et parfaites comme Bianca.

J'avais dit cette dernière phrase avec une pointe de sarcasme.

Alex : Pff. Bianca est loin d'être parfaite !

Moi : Pourtant, elle a réussi à te charmer, non ?

Alex : Pourquoi tu dis ça ?

Moi : Ben là ! Elle se pend à ton cou depuis le début de la soirée et elle te regarde comme si t'étais Dieu.

Alex : Premièrement, *je suis* Dieu. Deuxièmement, c'est flatteur de voir qu'elle me *cruise*, mais ça s'arrête là.

Moi : *Yeah, right.*

Alex (en se plantant devant moi) : Pourquoi tu réagis comme ça ? Es-tu jalouse, coudonc ?

Moi (comme s'il avait dit la chose la plus ridicule au monde) : Tellement pas !

Alex (en souriant et en s'approchant un peu plus) : Ah ! C'est ça ! T'es *vraiment* jalouse !

Moi : Pff. C'est le *drink* dégueu que Jeanne m'a fait boire qui me monte à la tête et qui me fait perdre mon jugement.

Alex : T'es sûre de ça ?

Moi (en le défiant du regard) : Certaine. De toute façon, qu'est-ce que ça changerait si je te disais que j'étais jalouse ?

Alex : Ça ferait plutôt mon affaire.

Moi (en le repoussant) : Parce que tu trouverais ça « flatteur » ?

Alex (en se postant devant moi et en adoptant un air sérieux) : Non. Parce que ça me rendrait heureux.

Moi : Pourquoi ?

Alex : Tu le sais pourquoi.

Moi : Peut-être que j'ai besoin de l'entendre.

Alex (en s'avançant tout près de moi) : Parce que... Tu es Léa.

Sa bouche se trouvait maintenant à quelques centimètres de la mienne.

Moi (en chuchotant) : Ça ne veut rien dire, ça.

Il a posé ses lèvres sur les miennes.

Lui (en se reculant d'un pas) : Et ça ? Ça veut dire quelque chose ?

Je l'ai pris par la taille et je l'ai attiré vers moi. On s'est embrassés avec intensité pendant plusieurs minutes. Je sentais l'électricité entre nous et mon cœur battait à vive allure.

Quelqu'un a alors crié son nom, et Alex s'est lentement détaché de moi.

Lui (en plaquant son front contre le mien) : Je... Wow.
Moi : Je sais.
Voix de nunuche gossante provenant de l'intérieur de la maison : Alex ?? T'es où ? On a besoin de toi !
Lui : Il va falloir que j'y aille.
Moi : OK.

Il m'a embrassée une dernière fois et il a rejoint ses invités. Ça m'a pris plusieurs minutes pour reprendre mes esprits. Je n'avais jamais été embrassée de cette façon, et je me sentais tout à l'envers.

C'est là que j'ai eu une révélation. Alex ! Mais oui ! C'était tellement évident, à présent. J'étais amoureuse de lui depuis longtemps, et c'est probablement ça qui m'a poussée à casser avec Oli.

Je réalise maintenant pourquoi toutes les fois où il m'a frôlée, draguée ou complimentée, j'ai été envahie par une décharge électrique d'une si grande intensité.

La vérité, c'est qu'il me plaît depuis que je suis arrivée à Montréal, mais je m'étais toujours braquée pour protéger notre amitié. C'est pour cette raison que j'avais décidé de repousser mes sentiments et de les fermer à double tour dans un petit coin de mon cœur.

Le problème, c'est que notre baiser venait de faire éclater toutes les serrures et que je me sentais plus vulnérable que jamais.

Éloi (en sortant dehors) : Léa ? Ça va ? Ça fait presque une heure que je te cherche.
Moi : Ouais, ouais. Je... J'avais juste besoin d'air.
Éloi (en s'assoyant près de moi, visiblement peu convaincu par mon explication) : Qu'est-ce qui se passe ?

Je l'ai regardé en me mordant la lèvre. Je ressentais vraiment le besoin d'en parler à quelqu'un, et je savais que je pouvais lui faire confiance. Je lui ai donc raconté ce qui venait de se passer entre Alex et moi. Quand j'ai eu fini, Éloi m'a regardée en souriant.

Moi : Pourquoi tu fais cette face-là ?

Éloi : Parce que je suis content que ça débloque enfin entre vous deux !

Moi : Hein ? Qu'est-ce que tu veux dire ?

Éloi : J'ai toujours senti qu'il y avait une connexion... spéciale entre Alex et toi.

Moi (les yeux remplis d'espoir) : Pour vrai ?

Éloi : Ouais. Et je connais assez mon ami pour savoir qu'il ressent quelque chose pour toi.

J'ai souri.

Moi : Je ne veux pas non plus me raconter d'histoires. Il m'a embrassée, mais on ne s'est rien promis...

Jeanne est apparue à cet instant.

Jeanne : Qu'est-ce que vous faites à geler dehors ?

Éloi (en me faisant un clin d'œil) : Léa et moi avions besoin de prendre de l'air. C'est ton *drink* dégueu aux canneberges qui nous a mis dans cet état-là !

Jeanne : OK, mais ce n'est pas une raison pour m'abandonner. En plus, Katherine jase avec Félix depuis le début de la soirée et je n'ose pas m'immiscer dans leur conversation.

Moi : Il doit parler de Laure, encore !

Jeanne : Je ne crois pas. La preuve, c'est que je l'ai vu rire à plusieurs reprises !

Moi (en me levant) : OK. Là, t'as officiellement piqué ma curiosité.

Je l'ai suivie à l'intérieur et j'ai aperçu du coin de l'œil Alex qui niaisait avec Bianca.

Jeanne : En passant, mon père vient me chercher dans une quinzaine de minutes. Veux-tu qu'on te dépose chez toi ?
Moi : Je ne dirais pas non.

La vérité, c'est que je n'avais pas l'énergie de faire semblant qu'il ne s'était rien passé entre Alex et moi et que j'avais besoin de prendre du recul pour comprendre l'ampleur des répercussions de notre baiser.

Jeanne et moi avons fait une petite tournée pour dire au revoir à tout le monde.

Moi : Félix, vas-tu être correct pour conduire ?
Félix (en souriant, l'air pompette) : Je suis un conducteur hors pair, tu sauras.
Katherine (en l'interrompant) : Ne t'en fais pas, Léa. Je vais le mettre dans un taxi.
Moi : Merci, Kath !

Alex (en s'approchant de nous) : Les filles, vous partez déjà ?

On a échangé un regard rempli de sous-entendus.

Jeanne : Oui. Mon père va être ici d'une minute à l'autre, et on va laisser Léa en passant. Merci pour tout, Alex !

Moi : Ouais. Ce fut une soirée... mémorable.

Alex (en souriant) : Pour moi aussi.

Il s'est avancé vers moi.

Alex (en chuchotant) : T'es sûre que tu dois partir ?

Moi : Ouais. Il y a trop de monde, ici.

Alex (en souriant) : Je comprends. On se voit à l'école ?

Moi : Yep !

Alex m'a regardée dans les yeux et m'a embrassée sur la joue. J'ai senti une autre décharge dans mon ventre. Même si mon corps me suppliait de rester près de lui, je savais que ce n'était ni l'endroit ni le moment pour me laisser guider par mes désirs enfouis. Il valait mieux laisser retomber la poussière et en reparler lorsqu'on pourrait être seuls tous les deux.

Moi : *Ciao*.

Alex : Bonne nuit, Poil de maïs.

Quand je suis rentrée chez moi, je me suis écroulée sur mon lit et j'ai écouté les battements de mon cœur. Ma tête avait beau essayer de le raisonner, son rythme ne mentait pas.

Tu avais raison, Lou : j'ai vraiment un cœur d'artichaut et je n'ai aucun contrôle sur ce que je ressens pour Alex.

Ça ne se compare pas du tout avec Éloi ou Oli. Là, ça vient de mes tripes, et c'est encore plus intense qu'avec Thomas (oui, tu as bien lu).

Tout ça pour dire que je capote et que j'ai besoin de ma *best* pour y voir plus clair. Je sais que tu viens à peine de reprendre avec JP, mais ça m'aiderait vraiment si tu pouvais venir me visiter. Ça fait presque trois mois qu'on ne s'est pas vues, et j'ai besoin de toi pour me guider dans tout ça.

Dis-toi que c'est peut-être aussi l'occasion idéale pour mettre un point final à ton « plan JP ». Tu te souviens de la dernière étape ? « Lui prouver que tu es digne de confiance pour repartir sur de nouvelles bases » ? Si tu veux mon avis, il n'y a pas de moyen plus efficace d'y arriver que de venir ici et prouver à ton chum qu'il n'a aucune raison de douter de toi.

Après tout, tu ne peux pas continuer à marcher constamment sur des œufs. Il faut que tu puisses être toi-même, et pour ça, JP doit te pardonner et mettre toute cette histoire de *french* derrière lui.

J'espère que tu perçois le désespoir dans mon courriel et que tu pourras venir pour m'éclairer de tes précieux conseils !

Léa

Mardi 27 octobre

Marilou (en ligne): Léa, t'es là? J'ai une SUPER nouvelle pour toi!

16 h 43

Léa (en ligne): Laisse-moi deviner: tu viens à Montréal en fin de semaine?!?

16 h 43

Marilou (en ligne): OUI! Après avoir lu ton courriel, j'ai longuement discuté avec JP, et même si ça l'inquiète un peu de savoir que je reverrai Félix, il comprend que je veux être là pour toi et il réalise que c'est une étape nécessaire pour la survie de notre couple. C'est aussi une bonne façon de tester la solidité de notre réconciliation.

16 h 44

Léa (en ligne): Est-ce que tu lui as dit que Félix était dans une période de léthargie végétale avancée? Ça pourrait le calmer!

Marilou (en ligne): Non, car je ne voulais pas qu'il pense que c'est la peine de ton frère qui allait m'empêcher de me rapprocher de lui.

16 h 45

Léa (en ligne): En tout cas, je suis vraiment contente que tu viennes. J'ai besoin de toi, Lou!

16 h 45

Marilou (en ligne): Est-ce qu'Alex et toi avez eu la chance de vous expliquer depuis dimanche?

16 h 46

Léa (en ligne): Non. Hier, j'avais une réunion pour le journal, et aujourd'hui, c'est lui qui avait un match de basket. Je lui ai offert de dîner ensemble demain, mais il a une rencontre avec le comité étudiant, et jeudi, je dois me joindre à l'équipe du party d'Halloween pour les décorations. Et évidemment, tout ça tombe la semaine où j'ai trois travaux à remettre et deux examens.

16 h 46

Marilou (en ligne): Tu pourrais l'appeler?

Léa (en ligne): Non. Je préfère qu'on en discute face à face. Alex et moi n'avons jamais eu le meilleur *timing* au monde, et cette fois-ci, je veux m'assurer de pouvoir être complètement honnête avec lui.

16 h 47

Marilou (en ligne): Je comprends. Je serai là pour t'encourager!

16 h 47

Léa (en ligne): Merci! ☺ À quelle heure arrives-tu, vendredi?

16 h 48

Marilou (en ligne): Ma mère m'a signé un billet d'absence, alors je quitterai l'école à la fin de l'avant-midi et je serai à Montréal vers 18 h.

16 h 48

Léa (en ligne): Génial! Ça va nous laisser le temps de nous déguiser pour le party! Et comme Félix n'a vraiment pas de vie sociale, je vais lui demander de nous y conduire.

Marilou (en ligne): Comment il va, lui?

Léa (en ligne): Mieux! Je ne sais pas ce que Katherine lui a dit samedi soir, mais il est vraiment de meilleure humeur depuis qu'il a jasé avec elle. D'ailleurs, je vais le rejoindre, car il doit m'expliquer des numéros de maths pour l'examen de demain.

Marilou (en ligne): OK. Bonne étude! Écris-moi s'il y a des développements avec Alex!

Léa (en ligne): Promis! Je suis TROP contente que tu viennes, Lou! J'ai hâte de te voir!

Marilou (en ligne): Moi aussi! Je t'aime! xox

📱 **30-10 17 h 55**

Salut, Poil de maïs ! Décidément, le destin a tout fait pour nous éloigner cette semaine !

📱 **22-10 17 h 55**

Je sais ! Chaque fois que j'allais vers toi, quelqu'un (Bianca, Jeanne, Katherine, José, le concierge) se pointait et m'interrompait.

📱 **22-10 17 h 56**

Même chose pour moi. Mais il faudrait vraiment que je te parle.

📱 **22-10 17 h 56**

Moi aussi ! ☺ J'attends Marilou qui devrait arriver d'une minute à l'autre. Est-ce qu'on peut se réserver un moment ce soir ?

📱 **22-10 17 h 57**

C'est exactement ce que j'allais te proposer. ☺

📱 **22-10 17 h 57**

Super ! J'ai hâte de te voir !

📱 **22-10 17 h 58**

Moi aussi, Rongeur !

À : Éloi2011@mail.com
De : Léa_jaime@mail.com
Date : Samedi 31 octobre, 09 h 56
Objet : La soirée des horreurs

Salut, Éloi !

Décidément, il suffit que tu sortes de la ville pour que l'apocalypse se produise ! Généralement, je relate mes soirées mouvementées à Marilou, mais comme elle ronfle présentement à mes côtés, c'est toi qui écoperas de mon long récit. Ça tombe d'ailleurs très bien puisque tu es le seul qui sache ce qui s'est passé entre Alex et moi la fin de semaine dernière.

Tout a commencé hier à la fin du cours de français. Jeanne avait tellement envie de faire pipi qu'elle a quitté le local en coup de vent en laissant son agenda derrière elle. Quand je l'ai ramassé, une feuille de papier est tombée sur le sol.

Je sais que j'aurais dû la remettre dans l'agenda sans hésiter, mais je t'avoue que ma curiosité a eu raison de mon jugement et que je l'ai dépliée pour voir de quoi il s'agissait.

J'ai tout de suite reconnu l'écriture de Katherine. Il s'agissait d'une lettre adressée à Jeanne qui datait de deux jours :

Salut, Jeanne !

Mon cours de maths est tellement plate que je me suis dit que je t'écrirais pour passer le temps. J'ai vraiment eu du fun au party d'Alex. Ça m'a fait du bien de passer la soirée avec Félix et de lui remonter le moral. Ce qui est bizarre, c'est que je lui ai donné des conseils pour se remettre de sa peine d'amour en me basant sur celle que j'avais vécue avec lui, mais ça nous a permis de reparler de notre relation, et ça m'a fait du bien. C'était cool de pouvoir discuter honnêtement avec lui au lieu de l'ignorer ou de le fuir.

Le seul hic de ma soirée a été Olivier. J'avais vraiment envie d'aller vers lui, mais une partie de moi avait peur de lui parler. Comme ça fait des mois que je refoule mes sentiments pour lui, j'ai parfois l'impression que ça déborde de partout, et je ne veux pas aller plus loin avant d'en avoir discuté avec Léa.

Je sais que tu m'encourages à le faire, mais comme ça ne fait pas super longtemps qu'ils ont cassé, j'ai peur qu'Oli soit encore amouraché d'elle ou alors que Léa trouve ça trop rapide et se fâche contre moi. Si seulement je pouvais contrôler mes sentiments, ma vie serait pas mal plus simple !

Bon, il faut que je te laisse, car le prof me regarde d'un air bizarre.

Luv,
Katherine xox

J'étais tellement sous le choc que je suis restée immobile pendant plusieurs secondes. Katherine était secrètement amoureuse d'Oli depuis des mois ? Pourquoi ne m'en avait-elle pas parlé au lieu de se confier à Jeanne ? Même si je savais qu'elles avaient sûrement agi comme ça pour me protéger, une partie de moi leur en voulait d'avoir gardé le secret et d'en avoir discuté en long et en large dans mon dos.

C'était probablement ce qui expliquait leur chicane de l'été dernier et l'échec de la relation entre Katherine et James.

Maude (en claquant les doigts) : Hey, le dindon ! Sors de la lune ! Il n'y a plus personne dans la classe.

J'ai secoué la tête pour reprendre mes esprits, j'ai remis la feuille pliée dans l'agenda de Jeanne et je l'ai rejointe à son casier pour le lui remettre.

Moi (d'un ton un peu sec) : Tiens. Tu l'avais laissé dans la classe.
Jeanne (en riant) : Oups ! C'est mon envie de pipi qui m'a fait perdre mes capacités cérébrales. Merci !
Moi : De rien.

Je me suis éloignée en vitesse.

Jeanne (en me suivant) : Léa ? Ça va ?

Moi : Pas vraiment, mais je n'ai pas le temps d'en discuter. Je dois aller rejoindre le comité des décorations pour ce soir.

Je me suis rendue au gymnase sans me retourner, et j'ai évité Jeanne et Katherine pendant le reste de la journée. Après l'école, ma mère m'a conduite au terminus pour récupérer Marilou. J'étais tellement contente de la revoir !

Quand nous sommes arrivées chez moi, Marilou a salué Félix comme si de rien n'était (ils ne s'étaient pas revus depuis leur baiser le soir de ma fête) et nous sommes montées à ma chambre.

Marilou : Ton frère a meilleure mine que je pensais.
Moi : Ouais. Il va de mieux en mieux. Il est même sorti avec Zack hier soir.
Marilou (en m'observant de près) : Je dirais même qu'il a l'air plus en forme que toi. Qu'est-ce qui se passe, coudonc ?

Je lui ai raconté l'histoire de la lettre.

Marilou (les mains sur les hanches) : Léa Olivier ! Tu n'as aucune raison de te fâcher contre elles ! Tu sais très bien que Katherine et Jeanne sont des amies loyales et que si elles t'ont caché la vérité, c'est justement pour éviter les chicanes.

Moi : Je sais, mais ça me fait quand même bizarre de penser que quand je sortais avec Oli, Kath s'imaginait secrètement avec lui.

Marilou : L'amour n'est pas simple, Léa. La preuve, c'est que je suis présentement dans la maison de mon « amant » pour prouver à mon chum qu'il n'a aucune raison de se méfier de moi, et que toi, tu as passé la semaine à cacher à tes deux amies que tu étais amoureuse d'Alex.

Moi : Ça veut dire quoi, ça ?

Marilou : Qu'elles ne sont pas seules à avoir des secrets, et que comme l'une d'elles se révèle être l'ex du gars que tu aimes, tu devrais peut-être lui en glisser un mot avant de la juger !

Moi (en me frappant le front) : *My God!* T'as tellement raison ! Merci de me rappeler à l'ordre.

Marilou : Je suis ici pour ça ! Bon, ils sont où, nos costumes ?

Ma mère nous avait déniché des déguisements de fées dans une boutique spécialisée. Elle nous a aidées à nous préparer, puis Félix nous a conduites à l'école vers 20 h.

Marilou (en observant le gymnase) : Wow ! T'as participé à ça ?

Moi : Oui. C'est moi qui ai découpé les guirlandes en forme de citrouilles. Pas pire, hein ?

Marilou : Mets-en ! Si jamais ton rêve d'écrivaine ne se concrétise pas, je pense que tu as un bel avenir en arts plastiques !

J'ai ri. Jeanne et Katherine nous ont rejointes.

Jeanne (en serrant Marilou dans ses bras) : Lou ! C'est trop cool que tu aies pu venir !

Katherine (en l'embrassant à son tour) : On s'est ennuyé de toi !

Marilou : Vous m'avez manqué aussi, les filles !

Katherine (en m'observant) : J'adore vos costumes ! Moi, je ne suis pas trop originale avec mon nez de clown.

Jeanne : C'est mieux que mon déguisement de sorcière ! D'ailleurs, je vais faire un saut aux toilettes pour retoucher mon maquillage.

Moi : Je t'accompagne. Lou, c'est correct si je te laisse avec Kath ?

Kath (en prenant Marilou par le bras) : Mets-en que c'est correct ! Ça va lui permettre de me raconter sa super réconciliation avec JP !

J'ai souri et j'ai suivi Jeanne jusqu'à la salle de bain. J'ai attendu qu'on soit seules pour lui parler.

Moi (en toussotant) : Jeanne... Il faudrait que je te parle de quelque chose.

Jeanne (en se maquillant les yeux) : Laisse-moi deviner : Alex et toi vous êtes embrassés samedi dernier ?

Moi (les yeux écarquillés) : Je... Qui t'en a parlé ? Éloi ?

Jeanne : Non. Bianca vous a vus, et elle en a parlé à José, qui l'a dit à Maude, qui l'a dit à Sophie, qui l'a dit à Lydia, qui m'en a parlé ce midi quand elle t'a vue me fuir près des casiers.

Moi : C'est quoi, l'affaire ? Elle pense que je me sauvais de toi parce que j'avais peur de te dire la vérité ?

Jeanne : Est-ce qu'elle se trompe ?

Moi : Oui.

Jeanne : Qu'est-ce qui se passe, alors ?

Moi : J'ai trouvé une lettre que Katherine t'a écrite et qui parle d'Olivier. Je sais que je n'aurais pas dû la lire, mais...

Jeanne a déposé son crayon et elle s'est tournée vers moi.

Jeanne : Léa, je te jure que si Kath ne t'a rien dit, c'est parce qu'elle ne voulait pas te perdre comme amie. Et moi, je ne voulais pas trahir son secret, tu comprends ?

Moi (en souriant) : Oui. Je t'avoue qu'au début, ça m'a un peu blessée, mais Marilou m'a fait réaliser que je n'avais aucune raison d'être fâchée. Katherine n'avait certainement pas fait exprès pour tomber amoureuse de mon chum. Pas plus que je n'ai fait exprès pour m'amouracher de ton ex.

Jeanne (en souriant) : Je ne t'en veux pas, Léa. Je crois au contraire qu'Alex et toi, vous êtes faits pour être ensemble ! J'avais juste hâte que tu m'en parles de vive voix.

Moi : Je m'excuse. J'aurais dû t'en glisser un mot cette semaine, mais comme je n'ai pas encore eu la chance de m'expliquer avec lui, je ne voulais pas en faire tout un plat sans savoir ce que ça représentait.

Jeanne : Et moi, je m'excuse si tu t'es sentie trahie. Ce n'était vraiment pas mon intention.

Moi : Je n'en doute pas une seconde.

Jeanne : Pour en revenir à Katherine, vas-tu lui dire que tu sais ?

Moi : Oui. Et je vais aussi lui donner mon feu vert. Je ne veux pas qu'elle s'empêche d'être heureuse avec Oli à cause de moi.

Jeanne : T'es une bonne amie, Léa.

Je l'ai serrée dans mes bras, puis nous sommes sorties des toilettes pour rejoindre la fête. J'ai alors aperçu Marilou qui parlait au téléphone dans le corridor.

Moi (en chuchotant) : À qui parles-tu ?

Marilou (en couvrant le combiné) : À JP. Je voulais lui dire que je m'ennuyais déjà de lui.

Moi : Est-ce qu'il a l'air bizarre ?

Marilou (en me faisant un clin d'œil) : Non. Juste amoureux !

J'ai souri et j'ai regagné le gymnase pour essayer de trouver Katherine. Je suis alors tombée nez à nez avec Alex, qui était déguisé en roi.

Moi : Wow ! C'est la présidence qui te monte à la tête ?
Alex (en souriant) : Ouais. Et c'est aussi la seule chose que j'ai trouvée dans mon garage !
Moi : Je suis contente de te voir, Alex.
Alex : Moi aussi.
Moi : Est-ce qu'on peut se parler ?
Alex : Suis-moi !

Il m'a pris la main et m'a entraînée jusqu'aux casiers, qui étaient déserts.

Moi : Savais-tu que l'école au complet est au courant de... ce qui s'est passé entre nous ?
Alex (en haussant les épaules) : Je suis sûr qu'un autre scandale aura tôt fait de leur faire oublier.

On s'est regardés en silence pendant quelques secondes.

Lui et moi en même temps : Je voulais te parler de quelque chose...
Moi (en riant) : Vas-y. Toi d'abord.

Alex a souri et a pris ma main. J'ai senti mon pouls s'accélérer. J'avais tellement envie qu'il m'embrasse et qu'il me serre contre lui.

Alex : Ah, Rongeur. Par où commencer ? Je... Je pense que tu sais très bien que j'éprouve quelque chose pour toi.

Mon cœur s'est emballé de plus belle. Inconsciemment, j'attendais cette déclaration depuis tellement longtemps.

Alex : Mais...

Oh, oh. Comment ça, « mais » ?

Alex : Mais la vérité, c'est que je suis nul en matière de relations. La preuve, c'est que j'ai rendu Marguerite complètement folle.
Moi : Je pense qu'elle était déséquilibrée au départ.
Alex : Ouais, mais mon histoire avec elle m'a quand même prouvé que je n'étais pas prêt pour être en couple. Et je ne voudrais surtout pas prendre de risques avec toi. Je sais que ça sonne bizarre, mais je tiens trop à toi pour te perdre.

J'ai senti mon cœur se briser en mille miettes. J'avais la vue embuée et j'avais peine à respirer.

Alex : Le baiser qu'on a échangé... Wow. Ça fait longtemps que j'y rêvais, et crois-moi, ça m'a hanté toute la semaine, mais je pense que ce serait con de tout compliquer alors qu'on a une relation tellement cool, en ce moment.

J'ai fait un effort phénoménal pour ne pas pleurer.

Moi (en m'efforçant de sourire et d'avoir l'air décontracté) : Je comprends.
Alex : Je... Es-tu du même avis ?
Moi (en riant nerveusement) : Ben oui ! C'est exactement ce que je m'apprêtais à te dire. C'est vrai que ce serait stupide de perdre ce qu'on a pour un simple baiser.
Alex (en m'attirant vers lui pour me serrer dans ses bras) : Ah ! Je suis tellement soulagé qu'on voie les choses de la même façon. Je ne voulais surtout pas qu'il y ait de froid entre nous. Tu es une fille ultra spéciale, et tu es vraiment importante pour moi, Léa.

Il fallait que je parte de là au plus vite.

Moi (en me défaisant de son étreinte) : Bon, ben maintenant qu'on a mis ça au clair, je vais aller rejoindre Marilou. Elle m'attend. À plus tard, Alex.

Je me suis retournée avant qu'il ne puisse voir les larmes qui coulaient maintenant sur mes joues. Marilou m'a interceptée alors que je me dirigeais vers la sortie.

Marilou : Léa ? Qu'est-ce qui se passe ?

Moi : Alex. Il ne veut pas être avec moi. Il faut que je sorte d'ici.

Marilou m'a suivie à l'extérieur et j'ai éclaté en sanglots.

Marilou (en me consolant) : On va rentrer chez toi, on va se mettre en pyjama et on va discuter de tout ça, OK ?

Moi (en morvant et en lui tendant mon cellulaire) : OK. Appelle... snif ! Mon... snif ! Frère.

Elle s'est mise à fouiller dans mon appareil à la recherche de son numéro, puis elle s'est interrompue pour me pointer une voiture du doigt.

Marilou : Pas besoin de l'appeler ; l'auto de tes parents est encore là, et je vois ton frère à l'intérieur !

Nous avons commencé à marcher dans sa direction. Tout à coup, Marilou m'a retenue par le bras et a écarquillé les yeux.

Marilou : Il n'est pas seul.

Moi (entre deux sanglots) : *Oh. My. God.* C'est exactement la même situation qu'il y a deux ans... avec la même fille !

Marilou : De quoi tu parles ?

Moi (hors de moi) : Je veux dire que mon innocent de frère est avec Katherine ! T'sais, celle que je cherchais pour lui dire d'avouer son amour à mon ex ?

Marilou (en me tirant vers le sens opposé) : OK. Viens-t'en ! On va prendre un taxi.

Marilou a intercepté une voiture et nous sommes rentrées à la maison. J'ai pris une longue douche et j'ai pleuré pendant deux heures, tandis que Marilou essayait tant bien que mal de me consoler.

Évidemment, tu peux te douter que j'ai à peine fermé l'œil de la nuit. Je me sens vide et triste. Ça m'a pris deux ans pour réaliser que j'étais follement amoureuse d'Alex, et voilà qu'il me rejette.

Je te laisse, car Marilou vient de se réveiller, mais j'espère avoir la chance de te parler de vive voix en fin de semaine.

Léa xox

À suivre...